A ORAÇÃO

SANTO AFONSO MARIA DE LIGÓRIO
(1696-1787)
Bispo e Doutor da Igreja

A ORAÇÃO

*O grande meio
para alcançarmos de Deus a salvação
e todas as graças que desejamos*

EDITORA
SANTUÁRIO

DIRETORES EDITORIAIS:
Carlos Silva
Marcelo C. Araújo

EDITORES:
Avelino Grassi
Márcio F. dos Anjos

REVISÃO:
Ana Lúcia de Castro Leite

DIAGRAMAÇÃO:
Alex Luis Siqueira Santos

Dados Internacionais de Catalogação na Publicação (CIP)
(Câmara Brasileira do Livro, SP, Brasil)

Afonso Maria de Ligório, Santo, 1696-1787
A Oração: o grande meio para alcançarmos de Deus a salvação e todas as graças que desejamos / Afonso Maria de Ligório; traduzido do original pelo Pe. Henrique Barros. – 4ª ed. – Aparecida, SP: Editora Santuário, 1992.

ISBN 85-7200-117-4 (impresso) ISBN 978-65-5527-037-21 (e-book)
1. Oração I. Título

92-2344   CDD-248.32

Índices para catálogo sistemático:

1. Oração: Prática religiosa: Vida cristã 248.32

Traduzido do original pelo Pe. Henrique Barros, C.Ss.R. (1890-1969)

Com aprovação eclesiástica

1ª impressão: 1987

39ª impressão

Todos os direitos reservados à **EDITORA SANTUÁRIO** – 2025

Rua Pe. Claro Monteiro, 342 – 12570-045 – Aparecida-SP
Tel.: 12 3104-2000 - Televendas: 0800 016 00
www.editorasantuario.com.br
vendas@editorasantuario.com.br

APRESENTAÇÃO

Santo Afonso (1696-1787) é conhecido como o "Doutor da Oração". Talvez por isso mesmo diga, na introdução a esta sua obra, que nunca tinha escrito nada mais útil. O que é dizer muito, uma vez que chegou a publicar mais de cem obras durante sua longa vida.

Sobre a oração Santo Afonso falou e escreveu muito. Mas foi principalmente um homem que muito orou: em média dedicava oito horas diárias à oração. Podia, pois, recomendar a todos que fizessem pelo menos uma hora de oração diária, além de frequentes e rápidas preces nas diversas oportunidades do dia.

Nesta sua obra, o Santo Doutor trata da oração enquanto pedido, prece, súplica e também agradecimento. Não trata dos outros aspectos da oração, como também não se prende apenas à oração vocal. Fala da absoluta necessidade que temos de *pedir* a Deus a salvação e de como o devemos fazer.

Foi em 1757 que pela primeira vez Santo Afonso publicou um *"Breve tratado sobre a necessidade da oração, sua eficácia e as condições com que deve ser feita"*. O texto foi publicado como apêndice da obra *"O cristão santificado"*, de seu confrade, o Pe. Januário Sarnelli, um livro que, por sinal, tinha como finalidade levar todos os cristãos a fazerem diariamente a oração mental.

No início do ano seguinte, o santo reviu o texto e o acrescentou à nova edição de seus *"Opúsculos Espirituais"*. Na ocasião prometeu que em breve publicaria uma obra especial e mais trabalhada, em que desenvolveria também uma tese teológica: *a graça de orar é dada normalmente a todos e, mediante a oração, todos podem obter de Deus os outros auxílios necessários para a salvação*. No mesmo ano de 1758, ele escreveu para Remondini, seu editor em Veneza: "Esse livro sobre a oração é obra única e muito útil para todos. E não é apenas uma obra ascética ou espiritual; é também teológica e está me dando muito trabalho..."

Em novembro de 1758, o texto foi entregue a um editor de Nápoles e já estava impresso em março do ano seguinte. O título seguia o estilo da época:

Do grande meio
da Oração
Para conseguir a salvação eterna e todas
as Graças que queremos de Deus
Obra
Teológico-ascética
do Revdmo. Padre
Dom Afonso de Ligório
Reitor-Mor da Congregação
do SS. Redentor
Utilíssima para todo tipo de pessoa.

Como era seu costume, já no dia 5 de abril Santo Afonso enviou um exemplar revisado dessa edição napolitana para ser reimpresso em Veneza, o que iria garantir maior divulgação para a obra. Essa nova edição foi publicada entre junho e agosto do mesmo ano de 1759. Até a morte do autor, em 1787, foram publicadas 10 edições. Note-se que, já em 1761, foi publicada em Nápoles uma edição contendo apenas a primeira parte, omitida a dissertação teológica. Isso, aliás, tornou-se praxe em praticamente todas as edições populares da obra. É o que fazemos na presente edição, na qual se suprimiram também as referências ao pé da página. A tradução, feita pelo Pe. Henrique Barros, C.Ss.R. (1890-1969), foi-nos graciosamente cedida pelas Edições Paulinas. Para facilitar a leitura, foram feitas algumas modificações na linguagem.

Como já o dissemos, mais vezes Santo Afonso escreveu sobre a oração, dando um destaque especial à oração mental e à meditação. Ainda em 1742 compôs um texto breve, de mais ou menos quarenta linhas: *"Resumo do modo de fazer a oração mental"*. Texto que nos foi conservado em uma de suas cartas, mas que, ao que tudo indica, era um dos muitos folhetos que o santo costumava distribuir ao povo durante as Missões. De 1745 a 1750, temos um esquema de palestra sobre a necessidade da oração mental, possivelmente para clérigos que se preparavam para a ordenação sacerdotal. Finalmente, na obra "Vitórias dos Mártires", há, como apêndice, um texto de mais ou menos setenta linhas: *"Avisos necessários para a salvação de pessoas de qual-*

quer estado de vida". É como que um apanhado geral da doutrina sobre a oração. Composto provavelmente antes de 1775, o texto foi também distribuído como volante durante as Missões. Aí é que se encontra em sua forma literal a frase, talvez a mais conhecida, do grande missionário: "É CERTO QUE QUEM REZA SE SALVA, QUEM NÃO REZA SE CONDENA".

O santo, que tanto insistia na obrigação de os pregadores falarem frequentemente sobre a necessidade da oração, não podia deixar de dar o exemplo. De todos os modos insistia com seus missionários redentoristas para que fossem homens de oração e pregadores da oração. Julgava que os frutos das Missões estavam garantidos onde ficava implantado o hábito da oração mental. Quando em 1771 publicou os *"Sermões Breves para todos os domingos do ano"*, resumiu em três pregações toda a sua doutrina sobre a oração. Aliás, um resumo adaptado desses textos já foi publicado pela Editora Santuário no livreto *"Conversando sobre a Oração"*. Não poderia deixar de lembrar ainda um outro livreto seu: *"Maneira de conversar continuamente e familiarmente com Deus"*, também publicado por nós numa adaptação (*Conversando sobre como conversar com Deus*). Nessa pequena obra está todo o esforço do Santo Doutor da Oração para nos ajudar a fazer da oração uma realidade sempre presente a todos os instantes da vida.

Fl. Castro, C.Ss.R.

A JESUS E A MARIA

Vós, Verbo encarnado, destes o sangue e a vida a fim de obter para as nossas orações, como prometestes, um valor tão grande que elas nos alcançam tudo o que pedimos. E nós, ó Deus, somos tão descuidados de nossa salvação, que no pedir queremos as graças necessárias para nos salvar! Por este meio, pela oração, vós nos destes a chave de todos os vossos divinos tesouros. E nós, porque não pedimos, queremos permanecer em nossas misérias. Ah, Senhor! Iluminai-nos e fazei-nos conhecer quanto valem, perante o Pai eterno, as orações feitas em vosso nome e por vossos merecimentos.

Consagro-vos este meu livreto. Abençoai-o e fazei com que todos quantos o tiverem em suas mãos resolvam orar sempre e se esforcem por despertar também o fervor nos outros, a fim de que empreguem este grande meio de salvação.

Também a vós, Maria, grande Mãe de Deus, consagro esta obra. Protegei e abençoai todos os que a lerem com espírito de oração, para recorrerem em todas as necessidades ao vosso Filho e a vós, Dispenseira das graças e Mãe de misericórdia, vós, que não sabeis deixar partir desalentados os que se recomendam a vós. Sois a Virgem poderosa, alcançais de Deus para os vossos servos tudo o que pedis para eles.

Ao Verbo Encarnado
Jesus Cristo

DILETO DO ETERNO PAI,
BENDITO DO SENHOR, AUTOR DA VIDA,
REI DA GLÓRIA, SALVADOR DO MUNDO,
DESEJADO DAS NAÇÕES,
DESEJO DAS COLINAS ETERNAS,
PÃO CELESTE, JUIZ UNIVERSAL,
MEDIANEIRO ENTRE DEUS E OS HOMENS,
MESTRE DA VIRTUDE,
CORDEIRO SEM MANCHA,
HOMEM DAS DORES, SACERDOTE ETERNO,
VÍTIMA DE AMOR, FONTE DE GRAÇA,
BOM PASTOR, AMANTE DAS ALMAS,

dedica esta obra Afonso, pecador.

INTRODUÇÃO

1. Publiquei várias obras espirituais. Penso, entretanto, não ter escrito obra mais útil do que esta, na qual trato da oração, porque a oração é o meio necessário e certo de alcançarmos todas as graças necessárias para a salvação. Se me fosse possível, faria imprimir tantos exemplares deste livro quantos são os fiéis de todo o mundo. Daria um exemplar a cada um, a fim de que todos pudessem compreender a necessidade que temos de orar para nos salvar.

2. Falo assim porque vejo, de um lado, a absoluta necessidade da oração, tão altamente recomendada pelas Santas Escrituras e por todos os santos Padres. E de outro lado, vejo que poucos cuidam de empregar este grande meio de salvação. E o que mais me causa dor é ver que pregadores e confessores tão pouco se lembram de recomendar a oração a seus ouvintes penitentes! Mesmo os livros espirituais, que hoje em dia andam nas mãos dos fiéis, não tratam suficientemente desse assunto, quando é certo que todos os pregadores e confessores e todos os livros não deveriam incutir nada com mais empenho e afinco do que a necessidade de rezar.

Ensinam às almas tantos meios de se conservarem na graça de Deus, como fugir das ocasiões, frequentar os sacramentos, resistir às tentações, ouvir a Palavra de Deus, meditar nas verdades eternas e outros tantos meios, todos eles, certamente de muita utilidade. Digo, porém: de que servem as pregações, as meditações e todos os outros meios aconselhados pelos mestres da vida espiritual, se faltar oração, quando é certo que o Senhor diz não "conceder suas graças, senão a quem pedir?" "Pedi e recebereis" (Mt 7,7).

Sem a oração, segundo a providência ordinária de Deus, serão inúteis todas as meditações, todos os propósitos e todas as promessas. Se não rezarmos, seremos infiéis a todas as luzes recebidas e a todas as nossas promessas. A razão é a seguinte: para fazer atualmente o bem, para vencer as tentações e para praticar a virtude, numa palavra, para observar inteiramente todos os preceitos divinos, não bastam as luzes recebidas anteriormente, nem as meditações e os propósitos que fizemos. É necessário ainda o auxílio de Deus. E este auxílio atual, como logo veremos, Deus não o concede senão a quem reza e reza com perseverança. As luzes recebidas, as considerações e os bons propósitos que fazemos, servem para que rezemos nas ocasiões iminentes de desobedecer à lei divina e, assim, possamos obter o socorro divino, que nos conservará incólumes do pecado. Sem isto, sucumbiremos.

3. Eu queria, amigo leitor, antes de tudo o que vou dizer aqui, explicar esta minha sentença para agradecerdes a Deus que, por meio deste meu livreto, vos dá a graça de refletir mais profundamente sobre a importância deste

grande meio da oração, pois todos os que se salvam, falando dos adultos, ordinariamente só por meio da oração é que conseguem salvar-se. Por isso, repito, agradecei a Deus, pois muito grande é a sua misericórdia concedendo-nos a luz e a graça de rezar.

Espero, irmão caríssimo, que depois de terdes lido esta obra, não vos esquecereis de recorrer sempre a Deus pela oração, quando fordes tentado a ofendê-lo. E, se alguma vez sentirdes a consciência gravada com muitos pecados, sabeis que a causa disto é a falta de oração e de pedir a Deus os auxílios necessários para resistir às tentações que vos assaltam. Peço-vos, portanto, que leiais este livreto e o torneis a ler, com toda atenção, não por ser trabalho meu, mas sim porque é um meio que Deus vos concede para conseguirdes a vossa salvação eterna, dando-vos assim a entender, de modo particular, que vos quer salvar. E, depois de o terdes lido, peço-vos que, sendo possível, o façais ler a vossos conhecidos e amigos.

Comecemos, pois, em nome do Senhor!

4. Escrevendo a Timóteo, o Apóstolo diz: "Rogo-te, antes de tudo, que se façam pedidos, orações, súplicas e ações de graças" (1Tm 2,1). Santo Tomás, o Doutor Angélico, explica essas palavras dizendo que a oração consiste propriamente na elevação da alma a Deus. A *prece* consiste em pedir a Deus coisas, quer particulares e determinadas, quer indeterminadas, por exemplo quando dizemos: *Senhor, vinde em meu socorro*! O *pedido* consiste em impetrar

a graça. Assim como quando dizemos: *Por vossa paixão e cruz, livrai-nos, Senhor!*

A *ação de graças*, enfim, consiste em agradecer os benefícios recebidos, pelo que, como diz Santo Tomás, merecemos receber benefícios ainda maiores. A *oração* no sentido estrito, diz o Santo Doutor, significa recorrer simplesmente a Deus. Mas, em sua acepção geral, compreende todas as outras espécies já mencionadas. Deste modo, nós a entendemos e neste sentido é que, daqui por diante, empregaremos a palavra "oração".

Para concebermos um grande amor à oração e para usarmos com fervor deste grande meio da salvação, consideremos, antes de tudo, quanto ela nos é necessária e quão poderosa é para nos obter todas as graças, que desejamos de Deus, se pedirmos como devemos.

Por isso, na primeira parte, trataremos da necessidade e do valor da oração e, depois, das qualidades que a oração deve ter para ser eficaz diante de Deus.

- *NECESSIDADE DA ORAÇÃO*
- *O VALOR DA ORAÇÃO*
- *AS CONDIÇÕES DA ORAÇÃO*

I

NECESSIDADE DA ORAÇÃO

1. O erro dos pelagianos
Erram os pelagianos dizendo que a oração não é necessária para se conseguir a salvação. O ímpio Pelágio, seu mestre, afirmava que só se perde quem não procura conhecer as verdades necessárias. Mas, como o disse bem Santo Agostinho, Pelágio falava de tudo, menos da oração, que, conforme sustentava e ensinava o mesmo santo, é o único meio de adquirir a ciência dos santos, como escreve São Tiago: "Se alguém necessita de sabedoria, peça a Deus, que a concede fartamente a todos" (Tg 1,5).

2. Nas Sagradas Escrituras são muito claros os textos que nos mostram a necessidade de rezar, se quisermos alcançar a salvação. "É preciso rezar sempre e nunca descuidar" (Lc 18,1). "Vigiai e orai para não cairdes em tentação" (Mt 25,41). "Pedi e dar-se-vos-á" (Mt 7,7). Segundo a doutrina comum dos teólogos, as referidas palavras: "É preciso rezar, orar, pedir", significam e impõem um preceito e uma obrigação, um mandamento formal. Vicleff afirmava que todos esses textos não se referiam à oração, mas tão somente às boas obras, assim, rezar, no seu modo de ver, nada mais é do que agir corretamente e praticar o bem. A Igreja, entretanto, condenou expressamente esse erro. Por isso, ensinava o douto Léssio que, sem pecar contra a fé, não se pode negar a necessidade da oração aos adultos, mormente quando se trata de conseguir salvação. Pois, como consta nos Livros santos, a oração é o único meio para conseguirmos os auxílios necessários à salvação.

3. A razão desta necessidade é bastante clara

Sem o socorro da graça, nada de bom podemos fazer: "Sem mim nada podeis fazer" (Jo 15,5). Nota Santo Agostinho sobre essas palavras que Jesus Cristo não disse: "nada podeis cumprir", mas "nada podeis fazer". Com isso, quis Nosso Senhor dar-nos a entender que sem a graça nem mesmo podemos começar a fazer o bem: "Não somos capazes de por nós mesmos ter algum pensamento, mas toda a nossa força vem de Deus" (2Cor 3,5). Se nem sequer podemos pensar no bem, como podemos, então, desejá-lo? O mesmo nos demonstram muitos outros textos das S. Escrituras: "Deus é quem opera tudo em todos" (1Cor 12,6). "Farei que vós andeis nos meus preceitos e que guardeis as minhas ordens e as pratiqueis" (Ez 36,27). Por isso, como diz S. Leão Papa: "Nenhum bem faz o homem sem que Deus não lhe dê a sua graça para isso". E o Concílio de Trento diz: "Se alguém disser que, sem a prévia inspiração do Espírito Santo e sem o seu socorro, o homem pode crer, esperar, amar ou fazer penitência como deve, com o fim de obter a graça da justificação, seja anátema".

4. Modo de agir de Deus com os animais

O Autor da "Obra Imperfeita" diz, referindo-se aos brutos, que o Senhor a um concedeu a rapidez, a outros deu unhas, a outros cobriu de penas, para que, desse modo, pudessem conservar sua vida. O homem, porém, foi formado em tal estado que só Deus é toda a sua força. Deste modo o homem é inteiramente incapaz de, por si, efetuar a sua salvação, visto que Deus quis que tudo o que tem ou pode ter receba por meio de sua graça.

5. As primeiras graças

Mas este auxílio da graça normalmente o Senhor concede só a quem ora, conforme a célebre sentença de Genadio: "Cremos não chegar ninguém à salvação sem que Deus o conceda. Ninguém, depois de convidado, obtém a salvação, sem que Deus o ajude. Só quem reza merece o auxílio de Deus".

Se é certo que, sem o socorro da graça, nada podemos, e se esse socorro é concedido por Deus unicamente aos que rezam, segue-se que a oração nos é absolutamente necessária para a salvação. Verdade é que há certas graças primeiras que são a base e o começo de todas as outras graças e que são concedidas sem a nossa cooperação, como, por exemplo, a vocação à fé, à penitência. No dizer de Santo Agostinho, Deus as concede mesmo a quem não as pede. Entretanto, quanto às outras graças, especialmente em relação à graça da perseverança, tem por certo o Santo Doutor que não são concedidas senão aos que pedem: "Deus dá algumas graças, como o começo da fé, mesmo aos que não pedem; outras, como a perseverança, reservou para os que pedem".

6. É por isso que os teólogos, como São Basílio, São João Crisóstomo, Clemente de Alexandria e outros, como o próprio Santo Agostinho, ensinam que a oração para os adultos é necessária, não somente por ser um mandamento de Deus, mas também por ser um meio necessário para a salvação. Isto quer dizer que, segundo a ordem comum da Providência, é impossível que um cristão se salve sem pedir as graças necessárias para a sua salvação. O mesmo ensina Santo Tomás: "Depois do batismo, a oração contínua é necessária ao homem para poder entrar no céu. Embora sejam perdoados os pecados pelo batismo, sempre ainda ficam os estímulos ao pecado, que nos combate interiormente, o mundo e os demônios que nos combatem externamente". A razão alegada pelo Doutor Angélico, e que nos deve convencer na necessidade da oração, é a seguinte: "Para nos salvar, devemos combater e vencer". "Aquele que combate nos jogos públicos não será coroado se não combater legitimamente" (2Tm 2,5). Sem o auxílio de Deus, não poderemos resistir a tantos e tais inimigos. Ora, este auxílio divino só se consegue pela oração. Logo, sem oração, não há salvação.

7. A oração é o caminho ordinário para se receber os dons de Deus
Que a oração é o único meio para se receber as graças divinas, de um modo mais claro o confirma o mesmo santo

Doutor, quando diz que todas as graças que o Senhor, desde toda a eternidade, determinou conceder-nos, não quer concedê-las a não ser por meio da oração. A mesma coisa ensina São Gregório: "Pela oração, merecem os homens receber o que Deus, desde a eternidade, determinou conceder-lhes". "A oração é necessária, diz Santo Tomás, não para que Deus conheça as nossas necessidades, mas para que nós fiquemos conhecendo a necessidade que temos de recorrer a Deus, para receber oportunamente os socorros da salvação. Assim reconhecemos Deus como único Autor de todos os bens, a fim de que (são palavras do Santo) nós conheçamos que necessitamos recorrer ao auxílio divino e reconheçamos que Ele é o Autor dos nossos bens". Assim como o Senhor quis que, para sermos providos do pão e do vinho, semeássemos a vinha, assim quis que recebêssemos as graças necessárias para nos salvar por meio da oração: "Pedi e dar-se-vos-á; buscai e achareis" (Mt 7,7).

8. Somos pobres. A oração é o alimento de nossa alma

Em resumo, outra coisa não somos senão pobres mendigos, que tanto temos quanto recebemos de Deus como esmola: "Eu, porém, sou pobre e mendigo" (Sl 40,18). O Senhor, diz Santo Agostinho, bem deseja e quer dispensar-nos as suas graças. Contudo não quer dispensá-las, senão a quem lhe pedir. Nosso Senhor no-lo assegura com as palavras: "Pedi e dar-se-vos-á". Logo, diz Santa Teresa, quem não pede não recebe. Assim como a umidade é necessária às plantas para não secarem, assim, diz São João Crisóstomo, é nos necessária a oração para nos salvarmos. Em outro lugar, diz o mesmo Santo, que assim como a alma dá a vida ao corpo, assim também a oração mantém a vida da alma. "Assim como o corpo não pode viver sem a alma, assim a alma sem a oração está morta e exala mau cheiro." Disse "exala mau cheiro", porque quem deixa de recomendar-se a Deus, logo começa a corromper-se. A oração é ainda o alimento da alma, porque assim como o corpo não se pode sustentar sem alimento, assim, sem a oração, diz Santo Agostinho, não se pode conservar a vida da alma. Como o corpo, pela comida, assim a alma do homem é conservada pela oração.

Todas essas comparações aduzidas pelos santos denotam a necessidade absoluta que todos temos de rezar para nos salvarmos.

9. A oração é uma arma

A oração, além disso, é a mais poderosa arma para nos defendermos dos nossos inimigos. Quem não se serve dela está perdido. Nem duvida o Santo em afirmar que Adão caiu, porque não se recomendou a Deus na hora da tentação. "Adão pecou porque não rezou". O mesmo escreveu São Gelásio, falando dos anjos rebeldes: "Receberam em vão a graça divina... e porque não rezaram... caíram".

São Carlos Borromeu, em uma carta pastoral, adverte que, entre os meios que Jesus Cristo nos recomendou no Evangelho, deu o primeiro lugar à oração. Ele quis que nisso se distinguissem as igrejas católicas e sua Religião das outras seitas, querendo que de um modo especial elas se chamassem casa de oração. "Minha casa será chamada de casa de oração" (Mt 21,13). Conclui São Carlos Borromeu, na mesma carta, que a oração é o princípio, o progresso e o complemento de todas as virtudes. Por isso nas trevas, nas misérias e nos perigos em que nos achamos, não temos nenhum outro em quem fundar nossas esperanças, senão levantar nossos olhos a Deus e pela oração impetrar de sua misericórdia a nossa salvação. "Como não sabemos o que devemos fazer, dizia o rei Josafá, não nos resta outro meio do que levantar os nossos olhos para vós" (2Cr 20,12). E assim também fazia Davi, não encontrando outro meio para se livrar dos seus inimigos do que rogar continuamente ao Senhor para que o libertasse de suas ciladas: "Os meus olhos se elevam sempre ao Senhor; porquanto Ele tirará o laço de meus pés" (Sl 25,15). E assim não cessava de rezar o real profeta, dizendo: "Olha para mim e tem piedade de mim, porque sou pobre e só". "Chamei a ti, Senhor, salva-me, para que guarde os teus mandamentos" (Sl 118,146). "Senhor, volvei para mim os vossos olhos, tende piedade de mim e salvai-me, porque sem Vós nada posso e fora de Vós não encontro quem possa ajudar-me."

10. Os erros de Lutero e Jansênio

E, de fato, como poderíamos resistir à força dos nossos inimigos e observar os mandamentos de Deus, mormente depois do pecado dos nossos primeiros pais, pecado que nos enfraqueceu tanto, se não tivéssemos a oração, pela qual podemos impetrar do Senhor a luz e a força necessárias para os observar? Foi uma blasfêmia o que disse Lutero afirmando que, depois do pecado de Adão, é impossível ao homem a observância dos mandamentos de Deus.

E Jansênio disse, mais ainda, que alguns preceitos são impossíveis, até para os justos, em vista das forças que atualmente possuem.

Até aqui sua proposição podia ser interpretada em bom sentido. Mas, como justiça, foi ela condenada pela Igreja por causa do que se acrescentou depois, dizendo que lhes faltava a graça pela qual se tornava possível a observância dos mandamentos. É verdade, diz Santo Agostinho, que o homem, fraco como é, não pode observar certos mandamentos, com a sua força atual ou com a graça comum a todos; mas, por meio da oração, pode muito bem obter o auxílio maior, do qual necessita para observá-los. Deus não manda coisas impossíveis. Entretanto, se mandar, exorta a fazer o que se pode e a pedir o que não se pode. É célebre este texto do Santo, que mais tarde foi adotado pelo Concílio de Trento e declarado dogma de fé. E imediatamente acrescenta o Santo Doutor: "Vejamos como o homem, em virtude do remédio, pode fazer o que não podia por causa da fraqueza". Quer dizer que, com a oração, obtemos o remédio para nossa fraqueza, porquanto, se pedirmos a Deus, conseguiremos força para fazer o que não podemos.

11. *Deus não manda coisas impossíveis*

Não podemos e não devemos acreditar, continua Santo Agostinho, que Deus, obrigando-nos a observar a lei, queira ordenar o impossível. Fazendo-nos Deus compreender que somos incapazes de observar todos os seus mandamentos, Ele nos admoesta a fazer as coisas fáceis com as graças que nos dá e a fazer as coisas difíceis com o auxílio maior, que podemos impetrar pela oração. "Por isso mesmo cremos, com firmeza, que Deus não pode mandar coisas impossíveis e somos advertidos do que devemos fazer nas coisas fáceis e do que devemos pedir nas difíceis". Por que, perguntará alguém, impõe-nos Deus coisas impossíveis às nossas forças? Justamente a fim de que procuremos, pela oração, o que não podemos com a graça comum. "Deus manda-nos algumas coisas superiores às nossas forças para que saibamos o que lhe devemos pedir". E em outro lugar: "A lei foi dada para que se procure a graça. A graça é dada para que se cumpra a lei". A lei não pode ser observada sem a graça, e Deus, para este fim, deu a lei, para que sempre suplicássemos a graça necessária, para observá-la. E, de novo, em outro lugar, diz ele: "A lei é boa se dela fizermos bom uso. Em que consiste, pois, o bom uso da lei?" Ele responde: "Consiste em conhecer pela lei a própria fraqueza e em procurar o auxílio divino para obter a saúde". Santo Agostinho diz que nós nos devemos servir da lei. – Mas para que fim? Para conhecermos por ela (o que sem ela seria impossível) a nossa incapacidade para observá-la, a fim de que com a oração alcancemos o auxílio divino que cura a nossa fraqueza.

12. *Grande é a fraqueza do homem*

São Bernardo escreve o mesmo dizendo: "Quem somos nós ou qual é a nossa força para resistirmos a tantas tentações? Certamente era isso o que Deus queria: que nós, vendo a nossa insuficiência e a falta de auxílio, recorrêssemos com toda a humildade à sua misericórdia". Deus sabe como a oração é útil para conservar a humildade e para exercer a confiança. Por isso, permite que nos assaltem os inimigos que, para nós e nossas forças, são invencíveis, para obtermos com a oração o auxílio para resistir-lhes. Note-se, especialmente, que ninguém pode resistir às tentações impuras da carne se não se recomenda a Deus no momento da tentação. Este inimigo é tão terrível que, privando-nos nos combates de quase toda a luz, nos faz esquecer de meditações e bons propósitos, desprezar a verdade da fé e perder o temor dos castigos divinos. Esta tentação une-se à nossa natureza decaída e nos arrasta com toda a força aos prazeres sensuais. Quem não recorre a Deus está perdido. A única defesa contra a tentação, diz São Gregório de Nissa, é a oração: "A oração é a guarda da pureza". O mesmo dizia, antes dele, Salomão: "Sabendo eu que de outra maneira não podia ser inocente, sem que Deus me concedesse... dirigi-me ao Senhor e pedi-lhe" (Sb 8,21). A castidade é uma virtude que não podemos praticar se Deus no-lo não concede aos que pedem. Quem pedir, certamente, será atendido.

13. *Santo Tomás contra Jansênio*

Diz o seguinte: "Não devemos dizer ser-nos impossível a castidade ou outro mandamento qualquer. Muito embora não possamos observá-lo por nós mesmos, contudo, nós o podemos mediante o auxílio divino. O que nos é possível com auxílio divino não se pode dizer simplesmente que é impossível".

Não se diga ser uma injustiça mandar a um coxo que ande direito. Não, diz Santo Agostinho, não é injustiça, dando-lhe os meios para se curar. Se depois continuar a coxear, a culpa é dele. Muito a propósito se manda que o homem ande direito para que, percebendo que não pode, procure o remédio que cure a claudicação do pecado.

14. Saber viver é saber rezar
Diz o mesmo Santo Doutor que não saberá viver bem quem não souber rezar: "Bem sabe viver o que sabe rezar bem". São Francisco de Assis dizia que, sem a oração, nunca pode uma alma produzir bons frutos. Não têm, pois, desculpa os pecadores que alegam não ter forças para resistir às tentações. "Se vos faltam as forças, adverte São Tiago, por que então não as pedis?" "Não tendes porque não pedis" (Tg 4,2). Não há dúvida, somos muito fracos para resistir aos assaltos de nossos inimigos. Mas também é certo que Deus é fiel e não permite que sejamos tentados acima de nossas forças, como diz o Apóstolo: "Deus é fiel e não permitirá que sejais tentados além das vossas forças. Fará, pelo contrário, que tireis proveito da tentação para poderdes suportá-la" (1Cor 10,13). Explicando estas palavras, diz Primásio: "Com o auxílio da graça, Ele vos dará forças para vencerdes a tentação". Somos fracos, mas Deus é forte. Se implorarmos o seu auxílio, Ele nos comunicará a sua força e assim poderemos tudo e poderemos dizer com o mesmo Apóstolo São Paulo: "Posso tudo naquele que me conforta" (Fl 4,13). "Não há, pois, desculpa, como diz São

João Crisóstomo, para aquele que sucumbe por deixar de orar. Porque, se tivesse orado, não teria sido surpreendido por seus inimigos. Não poderá ser desculpado aquele que não quis vencer o inimigo, abandonando a oração".

15. É necessária a intercessão dos santos para se obter a graça divina?

Levanta-se aqui a questão se a intercessão dos santos é necessária para se obter a graça divina. Que seja lícito e útil invocar os santos como intercessores, para eles suplicarem, pelos merecimentos de Nosso Senhor Jesus Cristo, o que nós, por nossos deméritos, não somos dignos de receber, é doutrina da Igreja, como declarou o Concílio de Trento: "É bom e útil invocar humildemente os santos e recorrer à sua proteção e intercessão, para impetrar benefícios de Deus por seu divino Filho, Jesus Cristo".

O ímpio Calvino reprova essa invocação dos santos, mas sem razão, pois é lícito e proveitoso invocar em nosso auxílio os santos vivos e pedir-lhes que nos ajudem com suas orações. Assim fazia o profeta Baruc, dizendo: "E rogai por nós ao Senhor, nosso Deus" (Br 1,13). E São Paulo: "Irmãos, rogai por nós" (1Ts 5,25). Deus mesmo quis que os amigos de Jó se recomendassem às orações de seu fiel servo, para lhes ser misericordioso em vista dos merecimentos dele... "Ide ao meu servo Jó... e Jó, o meu servo, orará por vós, e eu volverei misericordioso o meu olhar para ele" (Jó 42,8). Se é lícito recomendar-se aos vivos, como então não será lícito invocar os santos, que, no céu, mais de perto gozam de Deus? Isto não é derrogar a honra que se deve a Deus, mas duplicá-la, assim como na terra podemos honrar e venerar o rei em sua pessoa e também na pessoa dos seus servos. É por isso que Santo Tomás diz ser útil invocar e recorrer a muitos santos, "porquanto pela oração de muitos, às vezes se alcança o que pela oração de um só não se obteria". Poderá alguém objetar e dizer: de que serve recorrer aos santos para que rezem por nós, quando eles já pedem por todos quantos são dignos disso? Responde o mesmo Santo Doutor que alguns são seriam dignos de que os santos rezassem por eles, mas tornam-se dignos recorrendo com devoção aos santos.

16. A oração e as almas do purgatório

Pergunta-se: é útil recomendar-se às orações das almas do purgatório? Alguns dizem que as almas do purgatório não podem rezar por nós. São levados pela autoridade de Santo Tomás que afirma estarem aquelas almas em estado de expiação e, por isso, inferiores a nós. Não se acham em condição de rezar por nós, mas, pelo contrário, necessitam de nossas orações.

Mas muitos doutores, como Belarmino, Sílvio, Cardeal Gotti e outros, afirmam, com muita probabilidade, que se deve crer piamente que Deus manifesta-lhes nossas orações, a fim de que aquelas santas almas rezem por nós, como nós rezamos por elas. Assim se estabelecerá entre nós e elas este belíssimo intercâmbio de caridade. Não obsta, como dizem Sílvio e Gotti, o que diz o Angélico, isto é, que as almas padecentes não se acham em estado de rezar. Uma coisa é não estar em estado de rezar e outra é não poder rezar. É verdade que aquelas almas santas não se acham em estado de orar. Como diz Santo Tomás, estando no lugar de expiação, elas são inferiores a nós e por isso necessitam das nossas orações. Contudo, em tal estado, bem podem rezar, porque estão na amizade de Deus. Se um pai, apesar de seu grande amor a seu filho, conserva-o encarcerado por alguma falta cometida, o filho, em todo o caso, não está em condições de pedir alguma coisa para si mesmo. Entretanto, por que não poderá pedir pelos outros? Por que não poderá esperar ser atendido no que pede, conhecendo o afeto que lhe tem o pai? Sendo assim, as almas do purgatório, muito mais amadas de Deus e confirmadas em graça, podem rezar por nós. Mas não é costume da Igreja invocá-las e implorar sua intercessão, porque, segundo a providência ordinária, elas não têm conhecimento de nossas súplicas. Todavia, acredita-se piamente, como dissemos, que o Senhor lhes faz conhecer as nossas preces e, então, cheias de caridade não deixam de pedir por nós. Santa Catarina de Bolonha, quando desejava alcançar alguma graça, recorria às almas do purgatório e era imediatamente atendida. Até dizia que muitas graças, que não havia obtido pela intercessão dos santos, conseguia invocando as almas do purgatório.

17. A obrigação que temos de rezar pelas almas do purgatório

Seja-me permitido fazer aqui uma digressão em favor das almas do purgatório. Se quisermos o socorro de suas orações, é justo que cuidemos também de socorrê-las com nossas orações e boas obras. Disse que é justo, mas deve-se dizer ainda que é um dever cristão. Pois manda a caridade que socorramos o próximo em suas necessidades, mormente quando podemos fazê-lo sem incômodo de nossa parte. Ora, é certo que, entre aqueles que caem debaixo da palavra "próximo", devem-se compreender as benditas almas do purgatório. Elas, apesar de não estarem mais nesta vida, nem por isso deixam de pertencer à comunhão dos santos. "As almas dos fiéis defuntos, diz Santo Agostinho, não estão separadas da Igreja."

E mais claramente declara Santo Tomás a esse respeito, dizendo que "a caridade é o vínculo que une os membros da Igreja entre si e não se limita tão somente aos vivos, mas também aos mortos, que partiram deste mundo na graça de Deus". Portanto, devemos socorrer, quanto possível, aquelas santas almas como a nosso próximo e, sendo a sua necessidade maior, maior também consequentemente deve ser a nossa obrigação de socorrê-las.

18. *Os sofrimentos das almas do purgatório*

Em que necessidade se acham estas santas prisioneiras! Certo é que seu sofrimento é imenso. "O fogo que as tortura, diz Santo Agostinho, é mais grave do que qualquer sofrimento que possa atormentar o homem nesta vida". O mesmo diz Santo Tomás, acrescentando ser aquele fogo semelhante ao do inferno: "pelo mesmo fogo é atormentado o condenado, e purificado o escolhido". Isto quanto ao sofrimento dos sentidos. Mas muito maior é o sofrimento que causa a estas santas esposas a privação da visão de Deus.

Aquelas almas, não só por natureza, mas ainda pelo amor sobrenatural em que ardem para com Deus, com tal ímpeto são impelidas para se unirem ao sumo Bem que, vendo-se impedidas por motivo de suas culpas, sofrem dor tão acerba que, se lhes fosse possível a morte, morreriam a cada momento. Pois, segundo diz São João Crisóstomo, esta privação da visão de Deus as atormenta muito mais do que o sofrimento dos sentidos: "Mil fogos do inferno juntos não causariam tanta dor como esta do dano!" Por isso aquelas santas almas prefeririam sofrer qualquer outro castigo a serem destituídas, um só momento, da suspirada união com Deus. Diz, por isso, o Doutor Angélico que "o sofrimento do purgatório excede todas as dores que podemos sofrer nesta vida". Refere Dionísio Cartusiano que certo defunto, ressuscitado por intercessão de São Jerônimo, disse a São Cirilo de Jerusalém que todos os tormentos desta terra são gozos e delícias em comparação com o menor sofrimento do purgatório: "Todos os tormentos desta vida, se comparados à menor pena do purgatório, seriam verdadeiros gozos". E acrescenta que, se alguém tivesse experimentado aqueles sofrimentos, mais prontamente quereria sofrer todas as dores que sofreram ou sofrerão os homens neste mundo até o dia do juízo do que sofrer por um só dia o menor sofrimento do purgatório. Por isso escreveu São Cirilo que aqueles sofrimentos, quanto à aspereza, são os mesmos do inferno, apenas diferem porque são eternos.

19. As almas do purgatório sofrem horrivelmente e não podem socorrer-se a si mesmas

São, pois, muito grandes as penas daquelas almas e, por outro lado elas não podem ajudar-se, segundo Jó, "estão presas e ligadas pelos laços da pobreza" (Jó 36,8). Já estão destinadas ao Reino aquelas santas rainhas, mas dele não podem tomar posse, enquanto não chegar o fim de sua expiação. Portanto, não podem ajudar a si próprias (ao menos suficientemente, se quisermos crer nos teólogos que admitem que aquelas almas, com suas orações, também possam impetrar para si algum alívio) para livrar-se daquelas prisões, em que estão detidas, enquanto não tiverem satisfeito à justiça divina em todo o seu rigor. Foi o que disse, falando do purgatório, um monge cisterciense, aparecendo ao sacristão de seu convento: "Ajudai-me, pediu ele, com vossas orações, porque por mim nada posso obter!" Isto concorda com o que diz S. Boaventura: "A pobreza impede o pagamento das dívidas". Quer dizer que as almas do purgatório são tão pobres que não podem satisfazer por si próprias à justiça divina.

20. A obrigação que temos de rezar pelas almas do purgatório

É de certo, entretanto, e até de fé que nós, com os nossos sufrágios e, principalmente, com as orações recomendadas pela Igreja, bem podemos auxiliar aquelas santas almas. Não sei como poderá isentar-se de culpa quem deixa de oferecer-lhes qualquer auxílio, ao menos algumas orações.

21. Motivos que temos para rezar pelas almas do purgatório

Se não nos mover a obrigação que temos, mova-nos, ao menos, a alegria que causamos a Nosso Senhor Jesus Cristo quando nos aplicamos em libertar aquelas suas esposas diletas, para se unirem com Ele no paraíso. Movam-nos, enfim, os grandes merecimentos que podemos obter praticando este grande ato de caridade para com aquelas santas almas. Elas são gratíssimas e bem conhecem o grande benefício que lhes fazemos, aliviando-as daquelas penas e obtendo, por meio das nossas orações, que mais depressa possam entrar na glória. Lá chegando, não deixarão de rezar por nós.

Se o Senhor promete ser misericordioso para com os que praticam a misericórdia: "Bem-aventurados os misericordiosos, porque alcançarão misericórdia" (Mt 5,7), com muita razão pode esperar a salvação quem procura socorrer as almas do purgatório, tão aflitas e tão caras a Deus, Jônatas, depois de ter salvado os hebreus pela vitória sobre os seus inimigos, foi condenado à morte por seu pai, Saul, por haver provado o mel contra a sua ordem. Mas o povo apresentou-se ao rei e disse: "Como há de morrer Jônatas, o salvador de Israel?" (1Sm 14,45). Ora, assim devemos também esperar que, se algum de nós obtiver, com suas orações, a salvação de uma alma do purgatório e a sua entrada no céu, essa alma dirá a Deus: "Senhor, não permitais que se perca quem me livrou das chamas do purgatório". E, se Saul concedeu a Jônatas a vida, a pedido do povo, Deus não negará a salvação àquele por quem intercede uma alma do purgatório.

Além disso, diz Santo Agostinho, quem nesta vida mais socorrer as almas do purgatório, Deus fará com que seja também socorrido por outro, quando estiver lá no meio daquelas chamas.

22. A Santa Missa pelas almas do purgatório

Um grande sufrágio pelas almas do purgatório é participar da Santa Missa e nela recomendá-las a Deus, pelos merecimentos da Paixão de Nosso Senhor Jesus Cristo, dizendo: *Eterno Pai, eu vos ofereço este sacrifício do Corpo e Sangue de Jesus Cristo com todas as dores que sofreu em sua vida e morte e, pelos merecimentos de sua Paixão, recomendo-vos as almas do purgatório e especialmente as de...* É ato também de muita caridade recomendar, ao mesmo tempo, as almas de todos os agonizantes.

23. A invocação dos santos

Tudo o que dissemos sobre as almas do purgatório, se podem ou não rezar por nós, se é conveniente ou não nos recomendar as suas orações, vale também a respeito dos santos. Quanto a eles, é certo que é utilíssimo recorrer à sua intercessão, falando dos santos já canonizados, que gozam da visão de Deus. Supor que neste ponto a Igreja é falível seria incidir em culpa ou em heresia, como dizem São Boaventura, Belarmino e outros, ou ao menos está próximo de heresia, segundo Suarez, Azor, Gotti e outros. Porque o Sumo Pontífice, como diz Santo Tomás, ao canonizar os santos, é de modo particular guiado pela inspiração infalível do Espírito Santo.

24. Somos obrigados a invocar os santos?

Volto à questão, apresentada no item anterior, sobre se há uma obrigação de recorrer à intercessão dos santos. Não é minha intenção resolver esta questão: contudo, não posso deixar de apresentar uma doutrina do Angélico. Ele, antes de tudo, em vários lugares supracitados e, especialmente no livro das Sentenças, tem por certo que cada um é obrigado a orar, porque de outro modo não se pode (como diz ele) receber de Deus as graças necessárias à salvação, a não ser pela oração: "Cada um é obrigado a rezar, porquanto deve procurar os bens espirituais que só por Deus são concedidos e que só podemos alcançá-los por meio da oração".

Em outro lugar do mesmo livro, o mesmo Santo propõe a dúvida: se devemos invocar os santos, a fim de que peçam por nós. É esta a resposta do Santo, que vamos dar em sua íntegra, para melhor compreensão: "A ordem estabelecida por Deus, segundo Dionísio, é que todas as coisas sejam referidas a Deus, por meio das últimas mediações. Ora, como os santos do céu estão próximos de Deus, a ordem da lei divina requer que nós, enquanto vivermos neste mundo e estivermos longe do Senhor, sejamos conduzidos a Ele pelos santos que são os medianeiros. E isso acontece quando Deus derrama, por eles, sobre nós, os efeitos de sua Bondade. Nossa volta para Deus deve corresponder ao curso da distribuição de suas graças. Assim como os benefícios de Deus chegam até nós pela intercessão dos santos, do mesmo modo devemos nós chegar até Deus, a fim de recebermos novamente os seus auxílios, por intermédio dos santos. Esta é a razão por que temos os santos como nossos intercessores e ao mesmo tempo como nossos medianeiros diante de Deus, pedindo-lhes que roguem por nós".

Notem as palavras: *"Isto requer a ordem da Lei divina*, e notem igualmente estas: *assim como mediante os sufrágios dos santos nos vem a graça de Deus, pelo mesmo caminho devemos nós outros voltar para Deus, a fim de recebermos novamente sua graça por mediação deles.* Assim, segundo Santo Tomás, a ordem da lei divina requer que nós, mortais, nos salvemos por meio dos santos, recebendo, por sua intercessão, os auxílios necessários à nossa salvação. Objeta, então, o Angélico, dizendo ser supérfluo recorrer aos santos, quando Deus é infinitamente mais misericordioso e inclinado a atender-nos. Responde ele mesmo que o Senhor dispôs assim, não por defeito de seu poder, mas para conservar a ordem reta e universalmente estabelecida de operar por meio de causas segundas: "Não é, diz o santo, por defeito de sua misericórdia, senão para que seja mantida a ordem supraexplicada".

25. A ordem estabelecida por Deus na distribuição das graças

Segundo a afirmação de Santo Tomás (escreve o continuador de Tournely com Sílvio), é verdade que devemos invocar só a Deus como o Autor das graças. Entretanto, somos obrigados também à intercessão dos santos, para observar a ordem que Deus estabeleceu sobre a nossa salvação, isto é, que os inferiores se salvem, implorando o auxílio dos superiores. "Segundo a lei natural, todos são obrigados a observar a ordem que Deus estabeleceu; ora, Deus estabeleceu que os inferiores alcancem a salvação implorando o auxílio dos superiores".

26. *A intercessão de Nossa Senhora*

E, se assim é, falando dos santos, quanto mais não devemos recorrer à intercessão da divina mãe, cujas súplicas, junto de Deus, valem mais do que as de todos os santos do paraíso?

Diz Santo Tomás que os santos, na proporção dos merecimentos pelos quais adquiriram as graças, podem salvar muitos outros, mas Nosso Senhor Jesus Cristo e também sua Mãe mereceram tantas graças, que podem salvar todos os homens: "Grande coisa é, para cada santo, ter a graça suficiente para salvação de muitos; e, se um tivesse tanto quanto fosse necessário para salvar o mundo inteiro, seria o máximo; e isto se encontra em Nosso Senhor Jesus Cristo e em Nossa Senhora".

E São Bernardo, falando de Maria, escreve: "Por vós temos acesso ao Filho, por vós, que achastes a graça, Mãe da salvação, para que vós nos receba Aquele que por vós nos foi dado". Queria dizer com isso que, assim como não podemos chegar ao Pai senão pelo Filho, que é o Medianeiro da justiça, assim não podemos chegar ao Filho senão por Maria, que é a Medianeira da graça e nos obtém por sua intercessão os bens que Jesus Cristo para nós mereceu. No mesmo sentido, fala o Santo em outro lugar: "Maria recebeu de Deus uma dupla plenitude de graça. A primeira foi o Verbo eterno feito homem em suas puríssimas entranhas. A segunda é a plenitude das graças que, por intermédio desta divina Mãe, recebemos de Deus". Por isso acrescenta: "Deus depositou em Maria a plenitude de todo o bem. Portanto, se temos alguma esperança, alguma graça, alguma salvação, saibamos que nos vem por Aquela que subiu inundada de delícias. Ela é um jardim de delícias para, por todos os lados, trescalar perfumes, isto é, os dons de suas divinas graças". Por isso, tudo o que temos de benefícios de Deus, nós o recebemos pela intercessão de Maria. E por que é assim? Responde o mesmo São Bernardo: "Porque Deus assim o quer. Tal é a vontade d'Aquele que dispôs que tudo tivéssemos por Maria".

Mas a razão principal se deduz do que diz Santo Agostinho: "Maria é chamada nossa Mãe porque cooperou com sua caridade para que, nós, fiéis, nascêssemos para a vida da graça, como membros da nossa cabeça, Jesus Cristo. Ela é, em verdade, a mãe dos membros de Jesus, que somos nós, porque pelo amor concorreu para que os fiéis, que são membros da Cabeça de Cristo, renascessem na Igreja". Por isso, assim como Maria cooperou com sua caridade para o nascimento espiritual dos fiéis, assim quer Deus que ela coopere, por meio de sua intercessão, para que possam conseguir a vida da graça, neste mundo, e a vida da glória, no outro. E por isso a Igreja invoca e manda saudá-la com palavras tão claras e preciosas: *Vida, doçura e esperança nossa, salve!*"

27. Maria medianeira de todas as graças

Neste mesmo sentido, exorta-nos São Bernardo a recorrer sempre a esta divina Mãe, porquanto todas as suas súplicas são atendidas por seu divino Filho: "Recorre a Maria! Sem a menor dúvida, eu digo, certamente o Filho atenderá sua Mãe". E ajunta: "Filhinhos, esta é a escada dos pecadores, esta é a minha maior confiança, esta é toda a razão de minha esperança". O santo dá a Maria o nome de escada, porque assim como na escada não se sobe ao terceiro degrau sem antes passar pelo segundo, não se atinge o segundo sem se passar pelo primeiro, assim também não se chega a Deus, senão por meio de Jesus Cristo, e não se chega a Jesus Cristo, senão por meio de Maria. O mesmo São Bernardo chama Maria de sua máxima confiança e toda a razão de sua esperança, porque Deus, como ele supõe, quer que passem pelas mãos de Maria todas as graças, que nos dispensa. E conclui, finalmente, dizendo que todas as graças que desejamos temos de pedi-la por meio de Maria, porquanto ela obtém tudo o que deseja e os seus rogos não podem ser repelidos: "Busquemos a graça, mas busquemos por intermédio de Maria! Por ela acha-se o que se busca e não se pode ser desatendido".

Com os mesmos sentimentos fala Santo Efrém: "Fora de vós, não temos outra confiança, ó Virgem puríssima". Santo Ildefonso: "Todos os benefícios que a sua majestade decretou fazer aos homens, decretou confiá-los às vossas mãos. A vós, pois, estão confiados os tesouros e as rique-zas da graça". São Germano: "Se vós nos abandonardes, que será de nós, ó vida dos cristãos?". São Pedro Damião: "Em vossas mãos estão todos os tesouros da misericórdia de Deus". Santo Antonino: "Quem pede, sem Maria, tenta voar sem asas". São Bernardino de Sena diz: "Vós sois a dispensadora de todas as graças. Nossa salvação está em vossas mãos". Em outro lugar não só se diz que por Maria se transmitem a nós todas as graças, mas também afirma que a Santíssima Virgem, desde que foi feita Mãe de Deus, adquiriu certa jurisdição sobre todas as graças que nos são dispensadas: "Pela Santíssima Virgem as graças vivificantes se transmitem de Cristo, como da cabeça, a seu Corpo místico. Desde o momento em que a Virgem Mãe concebeu o Verbo Divino, ela obteve, por assim dizer, certa jurisdição sobre toda a processão temporal do Espírito Santo, de sorte que nenhuma criatura recebeu graça alguma senão pela distribuição desta piedosa mãe". E conclui: "Por isso, pelas suas mãos, dá a quem quer todos os dons, graças e virtudes". O mesmo escreveu São Boaventura: "Já que toda a natureza divina esteve nas entranhas da Santíssima Virgem, não duvido dizer que em toda a distribuição de graças tem certa jurisdição esta Virgem, de cujas entranhas, como de um oceano da divindade, emanam os rios de todas as graças".

Por isso, pois, muitos teólogos, fundados na autoridade desses santos, com piedoso zelo e muita razão, defenderam a tese de que nenhuma graça nos é dispensada, senão pela intercessão de Maria. Assim Vega, Mendonzza, Paciucchelli, Segneri, Poiré, Crasset e muitos outros autores, como o douto Padre Natal Alexandre, que escreveu: "Deus quer que esperemos todos os bens Dele pela intercessão poderosíssima de Maria, quando a invocamos como se deve". Em confirmação alega o texto de São Bernardo anteriormente referido: "Tal é a vontade de Deus, que quis que tenhamos tudo por Maria". E sobre as palavras: "Eis a tua Mãe", que Jesus disse na Cruz a São João, o Padre Contenson diz a mesma coisa expressando-se assim: "É como se dissesse: Ninguém terá parte no meu sangue, senão pela intercessão de minha Mãe. Minhas chagas são fontes de graças, mas estas correntes de graças são levadas unicamente pelo canal que é Maria. Oh, João, meu discípulo, serás tanto amado por mim, quanto amares a ela".

Além disso, é certo que se nos tornamos agradáveis a Deus, invocando os santos, tanto mais lhe seremos agradáveis se invocarmos a intercessão de Maria, para que ela supra com seus merecimentos a nossa indignidade, segundo o que diz Santo Anselmo: "Que a dignidade do intercessor supra a nossa indignidade". Por isso, invocar a Santíssima Virgem não é desconfiar da misericórdia divina, mas temer a própria indignidade. Falando da dignidade de Maria, Santo Tomás a qualifica de quase infinita: "Por ser Mãe de Deus, tem uma dignidade quase infinita". Portanto, com toda a razão se diz que as orações de Maria são mais poderosas diante de Deus do que as de todo paraíso.

28. Quem reza se salva. Quem não reza certamente se condena

Terminemos este primeiro ponto, concluindo de tudo o que dissemos que quem reza certamente se salva, e quem não reza certamente será condenado. Todos os bem-aventurados, exceto as crianças, salvaram-se pela oração. Todos os condenados se perderam, porque não rezaram. Se tivessem rezado, não se teriam perdido. E este é e será o maior desespero no inferno: o poder ter alcançado a salvação com facilidade, pedindo a Deus as graças necessárias. E, agora, esses miseráveis não têm mais tempo de rezar.

II

O VALOR DA ORAÇÃO

1. Como são preciosas a Deus as nossas orações!

São tão preciosas a Deus as nossas orações que Ele destinou os Anjos para lhe apresentarem imediatamente as que estamos fazendo. "Os anjos, diz Santo Hilário, presidem as orações dos fiéis e diariamente as oferecem a Deus". É este exatamente aquele sagrado incenso, isto é, as orações dos santos, que São João viu subir ao Senhor, oferecido pelas mãos dos anjos. Escreveu o mesmo Santo Apóstolo que as orações dos Apóstolos são como redomas de ouro, cheias de suave perfume e muito agradáveis a Deus.

Mas, para melhor compreendermos quanto valem junto de Deus as nossas orações, basta ler nas Sagradas Escrituras as inumeráveis promessas que Deus faz a quem reza, quer no Antigo, quer no Novo Testamento. "Chama por mim, e eu te ouvirei" (Jr 33,3). "Invoca-me e eu te livrarei" (Sl 49,15). "Pedi e dar-se-vos-á; buscai e achareis; batei e abrir-se-vos-á" (Mt 7,7). "Vosso Pai que está nos céus dará bens aos que lhe pedirem" (Mt 7,11). "Todo aquele que pede, recebe; todo o que busca, acha" (Lc 11,10). "Qualquer coisa que pedirem ser-lhes-á concedida por meu Pai que está nos céus" (Mt 18,19). "Tudo o que pedirdes orando, crede que haveis de receber e que assim vos sucederá" (Mc 11,24). "Se me pedirdes alguma coisa em meu nome, eu vos farei" (Jo 14,14). "Pedi tudo o que quiserdes e vos será concedido" (Jo 15,7). "Em verdade eu vos digo: se pedirdes ao meu Pai alguma coisa em meu nome, Ele vo-la dará" (Jo 16,23). Existem muitos outros textos semelhantes que deixamos de citar por brevidade.

2. Sem oração não há vitória

Deus quer salvar-nos. Entretanto, quer salvar-nos como vencedores. Estando, pois, nesta vida, achamo-nos em uma guerra contínua e para nos salvar temos de combater e vencer. "Sem ter vencido, ninguém poderá ser coroado", diz São João Crisóstomo. Somos muito fracos e os inimigos, numerosos e fortes. Como enfrentá-los e vencê-los? Tenhamos coragem e digamos com o Apóstolo: "Tudo posso naquele que me conforta" (Fl 4,13). Tudo poderemos com a oração, por meio da qual Deus nos dará o que não temos. Escreveu Teodoreto que a oração é todo-poderosa. Ela é uma, entretanto, pode obter todas as coisas: "A oração, sendo uma em si, pode tudo". E São Boaventura afirma que, pela oração, se obtém todos os bens e a libertação de todos os males. Dizia São Lourenço Justiniano que, pela oração, construímos uma torre fortíssima, onde estaremos livres e seguros de todas as insídias e violências dos inimigos. São fortes as potências do inferno, entretanto, a oração é mais forte do que todos os demônios, diz São Bernardo, e com razão, pois com a oração a alma consegue o auxílio divino, diante do qual desaparece todo o poder das criaturas. Assim animava-se Davi em seus desfalecimentos: "Invocarei o Senhor louvando-o e livre serei de meus inimigos" (Sl 17,4). Em resumo, diz São João Crisóstomo, a oração é uma grande armadura, uma defesa, um porto, um tesouro. A oração é uma valiosa arma para vencer os assaltos dos demônios; é uma defesa, que nos conserva em todos os perigos; é um porto seguro contra toda tempestade; é um tesouro, que nos provê de todos os bens.

3. Rezemos para alcançar forças contra os nossos inimigos!
Deus sabe quão salutar é para nós a necessidade de orar. Por isso permite, como foi dito no capítulo primeiro, que sejamos assaltados pelos inimigos, para pedirmos o auxílio que nos oferece e promete. Mas quanto lhe é agradável quando o invocamos nos perigos, tanto lhe desagrada o ver-nos descuidados da oração.

Assim como o rei, diz São Boaventura, julgaria traidor o capitão, que sitiado em uma praça não lhe pedisse socorro, assim Deus considera traidor aquele que, vendo-se assaltado pelas tentações, a Ele não recorre pedindo auxílio. Pois deseja e espera que lhe peçamos para nos socorrer fartamente. Uma prova disso encontramos nas Sagradas Escrituras, nas censuras, que o profeta Isaías fez ao rei Acaz. O profeta convidou-o em nome de Deus a pedir um sinal, a fim de certificar-se do socorro que o Senhor desejava dar-lhe: "Pede algum sinal do Senhor para ti" (Is 7,11). O ímpio rei respondeu: "Não o pedirei nem tentarei a Deus".

Assim disse, porque confiava em suas forças para vencer o inimigo, sem auxílio divino. Mas o profeta repreendeu: "Ouvi, pois casa de Davi! Porventura não vos basta ser molestos aos homens, quereis também molestar Deus?". Dizendo com isto que se torna molesto e injurioso a Deus, quem deixa de lhe pedir graças que o Senhor oferece.

4. Convites à oração
"Vinde a mim todos os que trabalhais e vos achais carregados e eu vos aliviarei" (Mt 11,28). Pobres filhos meus, diz o Salvador, que vos achais perseguidos por vossos inimigos e acabrunhados com o peso de vossos pecados, não vos abandone a coragem, recorrei a mim pela oração e eu vos darei forças para resistir e refazer-vos de todas as desgraças. Em outro lugar, diz, por boca de Isaías: "Vinde e argüi-me, diz o Senhor; se os vossos pecados forem como escarlate, tornar-se-ão brancos como a neve" (Is 1,18). Homens, diz ele, recorrei a mim e, ainda quando tiverdes a consciência assaz manchada, não deixeis de vir. Permito até que me acuseis, por assim dizer, se recorrendo a mim, não vos fizer, por minha graça, brancos como a neve.

Que é oração? Ouçamos São João Crisóstomo: "A oração é âncora para os flutuantes, tesouro para os pobres, remédio para os doentes e preventivo para os sãos". A oração é uma âncora segura para quem está em perigo de naufragar, é um tesouro imenso de riquezas para quem é pobre, é um remédio eficacíssimo para os enfermos e um fortificante certo para nossa saúde.

Que faz a oração? Ouçamos São Lourenço Justiniano: "A oração aplaca a ira de Deus, porquanto Deus perdoa logo a quem com humildade lhe pede, concede todas as graças pedidas, vence todas as forças do inimigo; em resumo, transforma os cegos em iluminados, os fracos em fortes, os pecadores em santos".

Quem necessita de luz, peça a Deus e lhe será dada. Logo que socorri a Deus, diz Salomão, Ele deu-me a sabedoria: "Invoquei e veio sobre mim o espírito da sabedoria" (Sb 7,7). Quem precisar de fortaleza, invoque a Deus e ser-lhe-á dada: logo que abri a boca para pedir, disse Davi, recebi o auxílio do Senhor: "Abri a boca e atraí o alento" (Sl 118,134). E se os santos mártires resistiram tão corajosa e constantemente aos tiranos, não foi a oração que lhes deu força e vigor para suportar os tormentos e a morte?

5. Confiai e rezai! Deus virá em vosso auxílio

Quem se vale da oração, desta grande arma, diz São Pedro Crisólogo, ignora a morte, deixa a terra, entra no céu e vive com Deus. Não cai em pecado, perde o apego das coisas da terra, entra no céu e já nesta vida começa a gozar da presença de Deus.

De que serve, pois, alguém angustiar-se e dizer: Estarei inscrito no livro da vida? Quem sabe se Deus me dará a graça eficaz e a perseverança? "Não vos preocupeis, mas com muitas orações e rogos, com ação de graças, sejam conhecidas as vossas súplicas diante de Deus!" (Fl 4,6). De que serve, diz o Apóstolo, perturbar-vos com estes pensamentos angustiantes e com estes temores? Afugentai, portanto, todas essas ansiedades que só servem para diminuir a vossa confiança e tornar-vos mais tíbios e preguiçosos no caminho da salvação.

Rezai sempre; fazei que vossas orações sejam ouvidas por Deus e agradecei-lhe sempre as promessas que vos fez de conceder-vos sempre os dons que pedis, a graça eficaz, a perseverança, a salvação, e tudo o que quiserdes. O Senhor pô-nos em batalha contra poderosos inimigos, mas é fiel às suas promessas. Não consente que sejamos atacados além das nossas forças. "Deus é fiel e não permitirá que sejais tentados mais do que podem as vossas forças" (1Cor 10,13). É fiel, porque socorre imediatamente a quem o invoca.

Escreve o douto e eminentíssimo Cardeal Gotti que o Senhor não é obrigado a dar-nos sempre uma graça igual à tentação, mas é obrigado, quando somos tentados e recorremos a Ele, a dar-nos por meio da graça (que para todos tem preparada e oferece) a força suficiente, com que oportunamente possamos resistir às tentações: "Em virtude de graça que põe à nossa disposição e nos oferece, Deus é obrigado a conceder-nos, quando somos tentados e a ele recorremos, as forças necessárias para podermos resistir e para que resistamos de fato; pois tudo podemos naquele que nos conforta pela graça, se humildemente pedirmos". Tudo podemos com o auxílio divino, que será concedido sempre a quem pede; por isso não temos desculpas, quando somos vencidos pela tentação. Fomos vencidos, porque não rezamos. Pela oração, podemos desarmar todas as ciladas do demônio. Pela oração, diz Santo Agostinho, afugentamos todos os males.

6. A oração é uma embaixadora

Diz São Bernardino de Sena que a oração é uma fiel embaixadora, bem conhecida do Rei dos céus e acostumada a entrar em seu gabinete e a mover, com sua importunação, o piedoso ânimo do Rei, a fim de que conceda todo o socorro a nós miseráveis, que gememos no meio de tantos combates e misérias, neste vale de lágrimas. "A oração é a mais fiel embaixadora, conhecida do Rei, que está acostumada a entrar em seu gabinete e a comovê-lo com sua importunação, a fim de impetrar auxílio para nós miseráveis".

Assegura-nos também Isaías que, assim que o Senhor percebe nossas orações, move-se logo à compaixão e não deixa que choremos e suspiremos muito tempo: no mesmo momento nos atende e concede o que lhe pedimos. "Tu, de nenhuma forma, chorarás mais; ele te concederá a graça por causa dos seus gemidos e logo que ouvir a tua voz, te atenderá" (Is 30,19). Em outro lugar, fala o Senhor por boca de Jeremias e, queixando-se de nós, diz: "Porventura tenho sido eu para Israel um deserto ou terra tardia? Por que diz: Nós nos retiramos, não voltaremos mais para ti?" (Is 2,31) Por que, pergunta o Senhor, dizeis que não quereis mais recorrer a mim? Porventura será a minha misericórdia uma terra estéril para vós, que não vos possa dar fruto de graça? Ou terra tardia, que produza fruto muito tarde? Com isso, nosso amoroso Senhor queria dar-nos a entender que jamais deixa de atender-nos; e, ao mesmo tempo, quis repreender os que deixam de rezar, por julgar não serem atendidos.

7. Deus nos atende a qualquer hora
Se Deus nos admitisse a apresentar-lhe as nossas súplicas só uma vez por mês, seria já um grande favor. Os reis da terra dão audiência poucas vezes ao ano, mas Deus dá audiência continuamente.

Escreve São João Crisóstomo que Deus está continuamente pronto para ouvir as nossas orações, e nunca acontece que não atenda a quem lhe pede como convém: "Deus está sempre pronto a ouvir a voz de seus servos e nunca acontecerá que não atenda, sendo invocado como convém". Diz, além disso, que quando rezamos, antes de terminarmos a exposição de nossas súplicas, Deus já nos atende. Sempre atende o que se pede, ainda enquanto estamos pedindo. Disso temos promessa divina: "Estando eles falando ainda, eu os ouvirei" (Is 65,24). O Senhor, diz Davi, está perto de quem o invoca, para escutá-lo, atendê-lo e salvá-lo: "Perto está o Senhor de todos os que o invocam; sim, de todos os que com razão o invocam; satisfaz a vontade dos que o temem; ouve os gemidos e salva-os" (Sl 144,19). Era disso que se gloriava Moisés, dizendo: "Não há nenhuma outra nação tão grande que tenha deuses tão próximos de si, como nosso Deus está presente em todas as nossas orações" (Dt 4,7). Os deuses dos gentios eram surdos às vozes dos que os invocavam, porque eram míseras criaturas, que nada podiam; mas nosso Deus, que tudo pode, não é surdo às nossas súplicas; pelo contrário, está sempre perto de quem o invoca e concede todas as graças pedidas: "Em qualquer dia em que eu te invocar, logo conhecerei que és o meu Deus" (Sl 55,11). Senhor, dizia o salmista, nisto reconheci que sois vós meu Deus, todo bondade e misericórdia, porquanto sempre que a vós recorro, me socorreis imediatamente.

8. *Somos pobres, mas Deus é rico*

Somos pobres, mas, se pedirmos, já não somos mais pobres. Se nós somos pobres, Deus é rico. E Deus é imensamente liberal, diz o Apóstolo, para com aquele que o chama em auxílio: "Deus é rico para todos os que o invocam" (Rm 10,12). E uma vez que, exorta Santo Agostinho, temos de nos entender com um Senhor de infinita riqueza e poder: "Peçamos-lhe não coisas pequenas e vis, mas sim coisas grandes". Se alguém pedisse ao rei uma pequena quantia, com isso não lisonjearia de forma alguma a sua bondade. Pelo contrário, honramos a Deus, honramos a sua misericórdia e a sua liberalidade, quando, à vista de nossa miséria e indignidade, lhe pedimos grandes graças, confiados em sua bondade e fidelidade, pois Ele prometeu: "Tudo o que quiserdes, pedi e vos será dado" (Jo 15,7). Dizia Santa Maria Madalena de Pazzi que o Senhor sente-se honrado com isso e fica tão consolado com as nossas orações que até, de certo modo, nos agradece. Porque assim lhes abrimos o caminho de seus benefícios, pois o seu desejo é fazer bem a todos. E podemos estar certos de que, quando pedimos alguma graça, recebemos sempre mais do que pedimos: "Se alguém necessita de sabedoria, peça a Deus, que a todos dará fartamente sem palavras duras" (Tg 1,5). Assim diz São Tiago para denotar que Deus não é, como os homens, avaro de seus bens. Os homens, apesar de ricos, piedosos e liberais, quando dão suas esmolas, são sempre estreitos e de mãos curtas. E a maior parte das vezes dão menos do que se lhes pede, porquanto, por maior que seja, sua riqueza é limitada; por isso, quanto mais dão, tanto mais lhes faltará. Deus, porém, quando é invocado, dá os seus bens com toda abundância, largamente, sempre mais do que se lhe pede, porquanto a sua riqueza é infinita; quanto mais dá, mais tem para dar: "Porquanto, Senhor, sois bom e manso e de muita misericórdia para com todos os que Vos invocam" (Sl 85,5). Vós, meu Deus, dizia Davi, sois liberal e sumamente misericordioso com quem Vos invoca. São tão ricas as graças que dispensais, que excedem as pedidas.

9. *O grande papel das súplicas durante a oração*

Todo o nosso cuidado deve consistir em rezar com confiança, certos de que, orando, estarão para nós abertos todos os tesouros do céu. "Que este seja nosso cuidado, diz São João Crisóstomo, e, então, abrir-se-á para nós o céu". E São Boaventura diz que todas as vezes que o homem recorre devotamente ao Senhor pela oração, ganha bens que valem mais do que todo o mundo: "Em um dia ganha o homem, pela oração, mais do que vale o mundo".

Algumas almas devotas empregam muito tempo em ler e meditar, mas pouco se ocupam com as súplicas. Não resta dúvida de que a leitura espiritual e a meditação das verdades eternas sejam coisas de muita utilidade, mas muito mais úteis, diz Santo Agostinho, são as súplicas. Nas leituras e meditações ficamos conhecendo as nossas obrigações, mas na oração obtemos as graças de cumpri-las. "Melhor é rezar do que ler: na leitura ficamos conhecendo o que devemos fazer, mas na oração recebemos o que pedimos". De que serve saber o que devemos fazer e depois não o fazer? De que serve senão para nos tornarmos mais culpados perante Deus? Leiamos e meditemos quanto quisermos, nunca, entretanto, cumpriremos o nosso dever, se não pedirmos a Deus os auxílios necessários.

10. A necessidade da súplica na oração
Por isso, como diz Santo Isidoro, em tempo algum o demônio sugere tantos pensamentos vãos e terrenos à alma do que quando esta procura rezar e pedir graça a Deus: "Quando o demônio nos vê rezar, procura com todas as forças distrair-nos com pensamentos fúteis". E por quê? Porque é justamente quando rezamos que mais recebemos os tesouros dos bens celestes.

O maior fruto da oração mental é fazer-nos pedir a Deus as graças necessárias à perseverança e à salvação eterna. Este é o principal motivo por que a oração mental é moralmente necessária para se conservar a graça de Deus; pois, se a alma não se recolhe no tempo da meditação para pedir os auxílios necessários à salvação e à perseverança, não o fará em outro tempo, porquanto fora da meditação não pensa em pedi-los, nem mesmo se pensará na necessidade que há de pedi-los. Pelo contrário, quem faz dia por dia a sua meditação, conhecerá logo as necessidades de sua alma, os perigos em que se acha e a necessidade que tem de pedir. Assim rezará e obterá as graças necessárias para perseverar e alcançar a salvação. Falando de si mesmo, dizia o Padre Segneri, S.J., que, a princípio, se ocupava mais na oração de excitar afetos do que de pedir; mas, conhecendo depois a grande necessidade e a imensa utilidade dos pedidos, daí por diante nas muitas meditações que fazia se aplicava a fazer súplicas.

11. Peçamos, peçamos muito!
"Clamarei como o filhote da andorinha" (Is 38,14), dizia o piedoso rei Ezequias. Os filhotes da andorinha não fazem outra coisa do que chilrear procurando com isso o auxílio e alimento de sua mãe. Do mesmo modo devemos nós proceder. Se quisermos conservar a vida da graça, devemos gritar sempre, pedindo a Deus a graça, para evitarmos a morte do pecado e para avançarmos em seu santo amor.

Refere o Padre Rodrigues, S.J., que os antigos padres do deserto, nossos primeiros mestres espirituais, fizeram entre si uma consulta para ver qual era o exercício mais necessário e útil à salvação eterna. Resolveram que era repetir a miúdo a breve oração de Davi: "Senhor, vinde em meu socorro!". O mesmo, escreve Cassiano, deve fazer quem quiser salvar-se, dizendo sempre: Deus meu, ajudai-me, meu Deus, ajudai-me! Isto devemos fazer, desde a manhã, quando despertamos, e depois continuar a fazê-lo em todas as nossas necessidades e durante as nossas ocupações, quer espirituais quer materiais, mormente, quando formos assaltados por qualquer tentação ou paixão.

Diz São Boaventura que, muitas vezes, a graça nos vem mais depressa por uma breve oração do que por muitas obras: "Às vezes, obtém-se mais depressa com uma breve oração o que dificilmente se alcançaria com boas obras". Acrescenta Santo Ambrósio: "Quem ora, enquanto ora, recebe porquanto rezar e receber é a mesma coisa: Quem reza, enquanto reza já recebe o que pede; pois pedir é receber".

São João Crisóstomo escreve que o homem mais poderoso é o que reza: "Nada há mais poderoso do que um homem que reza", porque se faz participante do poder de Deus. Para chegarmos à perfeição, dizia São Bernardo, temos necessidade da meditação e da petição; pela meditação, vemos o que nos falta; pela súplica, recebemos o que nos é necessário: "Subamos pela meditação e pela petição! Aquela mostra o que nos falta, esta consegue que nada nos falte".

12. Rezemos orações curtas, mas fervorosas! Se não nos salvarmos, a culpa é nossa

Em resumo, salvar-se sem a oração é dificílimo e até mesmo impossível, como vimos, segundo a ordem comum da providência. Entretanto, com a oração, a salvação é certa e fácil. Para a salvação não é necessário que alguém vá para a região dos infiéis, a fim de oferecer a sua vida; não é necessário retirar-se para um deserto e alimentar-se unicamente de ervas, mas é necessário rezar e dizer: *Meu Deus, ajudai-me! Senhor, assisti-me, tende piedade de mim!* Poderá haver coisa mais fácil do que isto? E este pouco será suficiente para nos salvar, se formos sempre cuidadosos em fazê-lo.

De modo especial exorta-nos São Lourenço Justiniano: que nos esforcemos por rezar no começo de todas as ações. Afirma Cassiano que os antigos padres do deserto exortavam insistentemente a recorrer a Deus com breves, mas frequentes orações: "Ninguém tenha em pouca conta a oração – dizia São Bernardo –, porquanto Deus não a tem em pouca conta, pois Ele ou dá o que pedimos, ou dá o que deve ser-nos mais útil". Persuadamo-nos de que se não rezarmos, não temos desculpas, porquanto a graça de rezar é dada a todos e depende de nós rezarmos sempre que quisermos, como dizia Davi, falando de si mesmo: "Dentro de mim orarei ao Deus de minha vida, dizendo-lhe: vós sois o meu amparo" (Sl 41,9-10). Tratarei desse assunto mais detalhadamente na parte seguinte, demonstrando claramente que Deus dá a todos a graça de rezar, para que, rezando, possam obter todos os auxílios e até bem abundantes, para observar os seus mandamentos e perseverar até a morte. Agora só direi que, se não nos salvarmos, a culpa é nossa, porquanto não rezamos.

III

AS CONDIÇÕES DA ORAÇÃO

I – Por quem e o que devemos pedir

1. As condições da oração
Jesus Cristo fez-nos a seguinte promessa: "Em verdade, em verdade vos digo: se pedirdes alguma coisa a meu Pai, em meu nome, Ele vo-la dará" (Jo 16,23). Muitos, diz São Tiago, pedem e não recebem, porque pedem mal: "Pedis e não recebeis porque pedis mal" (Tg 4,3). São Basílio, explicando as palavras do Apóstolo, diz: "Pedes e não recebes, porque tua oração foi malfeita ou sem fé, sem devoção ou desejo; ou porque pediste coisa que não se referia à tua salvação eterna, ou pediste sem perseverança". Por isso Santo Tomás reduziu a quatro as condições requeridas na oração, para que obtenham o seu fruto: isto é, que o homem peça *para si coisas necessárias à salvação, com devoção e com perseverança.*

2. A primeira condição da oração é que rezemos por nós mesmos
Pois o Doutor Angélico julga que ninguém pode impetrar para outros, como mérito de justiça, a vida eterna e, por conseguinte, também as graças necessárias para a salva-

ção deles, porque a promessa, diz ele, foi feita não para os que rezam para outros, mas os que rezam para si mesmos: *Dar-se-vos-á.*

Não obstante, há muitos doutores que afirmam o contrário, apoiados na autoridade de São Basílio, que ensina ter a oração infalivelmente o seu efeito, ainda que se reze pelos outros, contanto que esses não oponham uma resistência positiva. Estes escritores se baseiam sobre textos das Sagradas Escrituras: "Orai uns pelos outros, para serdes salvos, porquanto muito vale a oração perseverante do justo" (Tg 5,16). "Rezai pelos que vos perseguem e caluniam" (Mt 5,44). O melhor texto é de São João: "Se alguém vir seu irmão cometer um pecado, que não é de morte, peça e será concedida a vida àquele cujo pecado não é de morte" (1Jo 5,16). As palavras: *Cujo pecado não é de morte,* Santo Agostinho, Beda, Ambrósio e outros explicam que se devem entender do pecador, que não quer viver obstinado até a morte; pois, para tal pecador, seria necessário uma graça muito extraordinária. Quanto aos outros pecadores, que não atingiram um grau tão alto de maldade, se alguém rezar por eles, promete-lhe, o Apóstolo, a conversão deles: "Peça e será dada a vida ao pecador".

3. *As orações pelos outros, mormente pelos pecadores, são muito agradáveis a Deus*

Não se duvida, entretanto, que as orações que fazemos pelos outros, mormente pelos pecadores, sejam muito agradáveis a Deus. O Senhor queixa-se de seus servos, que não rezam pelos pecadores. Um dia, lamentava-se Nosso Senhor a Santa Maria Madalena de Pazzi, a quem disse: "Vede, minha filha, como caem os cristãos nas mãos do demônio; se os meus escolhidos não os livrassem por suas orações, seriam tragados por ele". De um modo todo especial, porém, Nosso Senhor deseja e exige isso dos sacerdotes e religiosos. Por isso, dizia muitas vezes a santa às suas religiosas: "Irmãs, Deus nos separou do mundo, não somente para fazermos bem a nós mesmas, mas também para procurarmos aplacar sua ira contra os pecadores". Falou-lhe, uma vez, o Senhor: "Eu vos dei, a vós, esposas escolhidas, a cidade de refúgio (isto é, a Paixão de Jesus Cristo), para que tenhais onde recorrer para ajudar minhas criaturas; por isso, recorrei a ela e ali oferecerei auxílio às minhas criaturas que perecem; sacrificai mesmo a vossa vida por elas". Pelo que a santa, inflamada de tanto zelo, oferecia a Deus, cinquenta vezes por dia, o sangue do Redentor pelos pecadores e se consumia em desejos por sua conversão, dizendo: "Que pena, Senhor! Como sinto ver que posso ajudar às tuas criaturas com o sacrifício de minha vida e, contudo, não poder realizá-lo!"

Ela, em todos os exercícios de piedade, recomendava os pecadores a Deus; e em sua vida se conta que não passava uma hora do dia em que não pedisse por eles. Frequentemente levantava-se à meia-noite e se dirigia à igreja, onde estava o Santíssimo Sacramento, para rezar pelos pecadores. Apesar de tudo isso, foi encontrada uma vez a chorar e, interrogada do motivo das lágrimas, respondeu: "Porque me parece que nada faço pela conversão dos pecadores". Chegou até a se oferecer a padecer as penas do inferno pela conversão deles, contanto que lá não tivesse de odiar a Deus. Frequentes vezes conseguiu ser atormentada de graves dores e enfermidades pela salvação dos pecadores. Rezava especialmente pelos sacerdotes, vendo que estes, com uma vida exemplar, seriam causa da salvação de muitos e com uma vida má levariam grande número à ruína e à perdição. Pedia a Nosso Senhor que a castigasse pelas culpas deles e dizia: "Senhor, fazei-me morrer tantas vezes e tornar à vida, até satisfazer por eles à vossa justiça". Em sua vida, conta-se que a santa, por suas orações, libertou de fato muitas almas das garras de Satanás.

4. Rezemos muito pela conversão dos pecadores!

Quis propositadamente dizer alguma coisa mais particular sobre o zelo desta santa. Enfim, todas as almas que amam sinceramente a Deus não cessam de rezar pelos pobres pecadores. E como é possível que uma pessoa que ama a Deus, vendo o amor que tem às almas e o que fez e sofreu por elas Nosso Senhor Jesus Cristo e o desejo que tem o Salvador que rezemos pelos pecadores, como é possível, digo, ver indiferente tantas almas vivendo sem Deus, feitas escravas do inferno e não se mover e se esforçar por pedir com insistência ao Senhor, queira conceder luzes e energias a estes infelizes, para saírem do estado em que se acham?

É certo que Deus não prometeu atender-nos, quando aqueles por quem rezamos se opõem à conversão. Entretanto, Nosso Senhor, por bondade e em atenção às orações de seus servos, dignou-se reconduzir ao caminho da salvação mesmo os pecadores mais obcecados e obstinados. Por isso, recomendemos sempre a Deus os pobres pecadores ao celebrarmos a santa Missa, na comunhão, na meditação e na visita ao Santíssimo Sacramento.

Diz um ilustre escritor que, rezando pelos outros, seremos atendidos mais prontamente do que quando rezamos por nós mesmos. Disse isso de passagem. Examinemos as outras condições da oração segundo São Tomás.

5. *A segunda condição*
É que peçamos as graças necessárias à salvação, porque a promessa divina não foi dada para os bens temporais, que não são necessários à salvação da alma. Diz Santo Agostinho, explicando as palavras do Evangelho, em meu nome, anteriormente citadas, que "não se pede em nome do Salvador o que é contrário aos interesses de nossa salvação".

6. *Motivos por que Deus muitas vezes parece não nos atender*
Às vezes, pedimos algumas graças temporais e Deus não nos atende; mas não nos atende porque nos ama, diz o mesmo Doutor, e quer usar de misericórdia para conosco: "Quem pede a Deus humilde e confiadamente coisas necessárias para esta vida, ora é ouvido por misericórdia e ora não é atendido por misericórdia; pois, do que o doente tem necessidade, melhor sabe o médico do que o doente". O médico que se interessa pelo doente nunca permitirá coisas que lhe possam fazer mal.

Quantos, se fossem pobres ou doentes, não cometeriam os pecados que cometem sendo ricos e sadios! Por isso o Senhor nega a alguns, que lhe pedem a saúde do corpo ou os bens da fortuna, porque os ama, vendo que isso lhes seria ocasião de perderem a sua graça, ou ao menos de se entibiarem na vida espiritual. Contudo, não queremos dizer com isso que seja uma falta pedir a Deus as coisas necessárias à vida presente, contanto que estejam em relação com a salvação eterna, como pediu o sábio: "Dai-me, Senhor, unicamente o que for necessário para viver" (Pr 30,8). Não é uma falta, diz Santo Tomás, ter um cuidado moderado por estas coisas; proibido é desejar e procurar estes bens como principais e ter por eles um cuidado demasiado, como se formassem toda a nossa felicidade. Quando pedirmos a Deus bens temporais, devemos pedi-los com resignação e sob a condição de aproveitarem à alma. Se vemos que o Senhor não os concede, tenhamos por certo que os nega pelo amor que nos tem e porque prevê que vão prejudicar à salvação de nossa alma.

7. Quando Deus não atende é sempre para nosso próprio bem

Muitas vezes pedimos a Deus que nos livre de alguma tentação perigosa, e Deus não nos atende e permite que a tentação continue. Nesse caso, devemos entender que Deus assim permite para nosso próprio bem. Não são as tentações e maus pensamentos que nos afastam de Deus, mas sim o consentimento dado. Quando a alma tentada se recomenda a Deus e, com o seu auxílio, resiste aos ataques de seus inimigos, progride na virtude e une-se mais estreitamente a Ele. Esta é a razão por que o Senhor deixa de atendê-la. São Paulo pedia insistentemente ao Senhor que o livrasse das tentações impuras: "Permitiu Deus que sentisse em minha carne um estímulo, que é o anjo de Satanás, para me esbofetear; por cuja causa roguei ao Senhor três vezes que o afastasse de mim" (2Cor 12,7). Mas o Senhor respondeu: "Basta-te a minha graça".

Devemos, pois, nas tentações pedir a Deus com resignação, dizendo: Senhor, livrai-me deste tormento, se assim for conveniente para minha salvação; senão, dai-me ao menos o auxílio para resistir-lhe.

Devemos lembrar aqui o que diz São Bernardo, que, quando pedimos a Deus alguma graça, Ele nos dá a graça pedida ou outra melhor. Deus muitas vezes nos deixa sofrer no meio da tempestade, a fim de provar a nossa fidelidade e para o nosso maior proveito. Parece, então, surdo às nossas orações. Não! Estejamos seguros de que Deus nos ouve e nos ajuda ocultamente, dando-nos forças para resistirmos aos assaltos dos inimigos. Isto Ele nos assegura por boca do Salmista: "Na tribulação me invocaste e te livrei: eu te ouvi no escondido da tempestade; provei-te junto à água da contradição" (Sl 80,8).

8. Condições dadas por Santo Tomás

Finalmente eis as outras condições que Santo Tomás exige para a oração: Que se reze *com devoção e perseverança*. *Com devoção*, quer dizer, com humildade e confiança; *com perseverança*, quer dizer, sem deixar de rezar até a morte.

Destas condições, pois, da humildade, confiança e perseverança, que são as mais necessárias à oração, importa falar de cada uma distintamente.

II – A humildade com que se deve rezar

9. Deus ouve a oração dos humildes e repele a dos orgulhosos
O Senhor atende às orações de seus servos, mas dos servos humildes: "O Senhor atendeu à oração dos humildes" (Sl 101,18). Onde falta humildade, Deus não atende, pelo contrário, repele as orações dos soberbos. "Deus resiste aos soberbos e dá a sua graça aos humildes" (Tg 4,6). Deus não ouve as orações dos soberbos, que confiam na própria força e por isso abandona-os à sua miséria. Em tal estado, privados do auxílio divino, perder-se-ão certamente. Chorava Davi: "Antes de ser humilhado, pequei" (Sl 118,67), pequei, porque não fui humilde. O mesmo se deu com São Pedro, o qual, apesar de avisado por Nosso Senhor de que naquela noite os seus discípulos o abandonariam: "a todos vós serei eu nesta noite ocasião de escândalo" (Mt 26,31), em vez de reconhecer sua fraqueza e pedir forças ao Senhor para não lhe ser infiel, confiando demasiadamente em si mesmo, disse que ainda que todos os outros o abandonassem, ele nunca o abandonaria: "Ainda que todos se escandalizem a teu respeito, eu nunca me escandalizarei" (Mt 26,33). E não obstante o Redentor lhe predizer, de novo e em particular, que naquela noite, antes que o galo cantasse, o negaria três vezes, confiando em seu valor, gabou-se dizendo:

"Ainda que seja necessário morrer eu contigo, não te negarei" (Mt 26,35). Mas, apontado como discípulo de Jesus Cristo, negou-o por três vezes, com juramento, afirmando não conhecê-lo: "Juro que não conheço tal homem" (Mt 26,72). Se Pedro houvesse se humilhado e pedisse ao Senhor a graça da constância, não o teria negado.

10. Sem a graça, nada podemos fazer de meritório

Devemos todos imaginar que estamos sobre as alturas de um monte, suspensos sobre o abismo de todos os pecados e sustentados apenas pelo fio da oração; se este fio se arrebentar, cairemos certamente neste abismo e cometeremos os crimes mais horrorosos. "Se Deus não me tivesse ajudado, já teria caído no inferno" (Sl 93,17). Assim falava o salmista e assim deve dizer cada um de nós. O mesmo queria dizer São Francisco de Assis, quando dizia ser ele o maior pecador do mundo. Mas, meu padre, disse-lhe o companheiro, não é verdade o que dizeis. Existem muitos no mundo que são piores do que vós. É verdade, meu irmão, respondeu o santo, porque se Deus não tivesse sobre mim sua mão protetora, eu cairia em todos os pecados.

11. Trabalha em vão aquele que trabalha sem Deus

É um dogma de fé que, sem a graça de Deus, não podemos fazer obra meritória alguma, nem tão pouco ter um bom pensamento. Sem a graça, diz Santo Agostinho, não podem os homens fazer bem algum, quer por pensamentos, quer por palavras ou obras. Como os olhos não podem ver sem luz, assim o homem não pode fazer o bem sem a graça, diz o santo. E, antes, disse o Apóstolo: "Não que sejamos capazes, nós mesmos, de ter algum pensamento como de nós mesmos, mas a nossa capacidade vem de Deus" (2Cor 3,5). E, ainda antes do Apóstolo, disse Davi: "Se o Senhor não edificar a casa, em vão trabalharão os que procuram construí-la" (Sl 126,1). Em vão se esforça o homem em se fazer santo, se Deus não o amparar com o seu poder. "Se o Senhor não guardar a cidade, inutilmente se desvela o seu vigia". Se Deus não preservar a alma do pecado, em vão procurará ela fugir dele com suas próprias forças. Por isso, exclamava o profeta Davi: "Não esperei no meu arco" (Sl 43,7). Pois não quero confiar em minhas armas, mas unicamente em Deus, porquanto só Ele pode salvar-me.

12. *Pela graça de Deus, sou o que sou*

Quem achar que fez algum bem e que não caiu em maiores pecados, diga com São Paulo: "Pela graça de Deus, sou o que sou" (1Cor 15,10). Pela mesma razão, não deixe o homem de tremer e recear cair em todas as ocasiões. "Quem está de pé, veja que não caia" (1Cor 10,12). Com isto, quer São Paulo advertir-nos que está em grande perigo de cair quem se julga seguro. Em outro lugar, diz: "Quem julga ser alguma coisa, não sendo nada, engana-se" (Gl 6,3). Muito sabiamente escreveu Santo Agostinho: "Muitos, sendo fracos, não se fortificam, porque se julgam fortes; só os que se sentem fracos serão fortes". Quem diz que não tem medo de si próprio prova que confia em si mesmo e em suas resoluções, mas, com esta confiança perniciosa, engana-se. Quem diz que não tem medo, não receia mais e, não receando, não reza mais; então, cairá certamente.

Não devemos desprezar os outros por terem caído e nós não; pelo contrário, quando virmos outros caírem, julguemos que somos piores de todos e digamos ao Senhor: Se não me tivésseis ajudado, Senhor, eu teria feito pior ainda. De outro modo, permitirá Deus, por causa de nosso orgulho, que cometamos pecados maiores ainda. Por isso avisa-nos o Apóstolo que procuremos a nossa salvação eterna. Mas como? Sempre temendo e tremendo. "Com medo e tremor, operai a vossa salvação" (Fl 2,12). "Com medo e tremor, pois quem vive em temor e cuidado para não cair desconfia de suas próprias forças e põe toda a sua confiança em Deus, recorrendo a Ele nos perigos. Deus o ajudará, vencerá as tentações e salvar-se-á. São Filipe Néri, passando um dia pelas ruas de Roma, exclamava: "Sou um desesperado". Um religioso, que ouviu estas palavras, perguntou-lhe por que falava daquele modo. O santo respondeu: "Meu padre, eu desespero, sim, mas de mim mesmo". Este deve ser o nosso modo de agir, se quisermos nos salvar. É necessário que tenhamos uma completa desconfiança de nós mesmos. São Filipe, desde o primeiro momento em que despertava pela manhã, dizia a Deus: "Senhor, protegei-me hoje, senão eu Vos trairei e o venderei!"

13. *Eis a grande ciência do cristão*

Diz Santo Agostinho, conhecer que nada é e nada pode! Assim, nunca deixará de pedir a Deus a força necessária para resistir às tentações e para fazer o bem, e fará tudo com o auxílio de Deus, que não repele nenhuma súplica dos humildes. "A oração do que se humilha penetrará as nuvens e não se afastará até que o Altíssimo ponha nela os seus olhos" (Eclo 35,21). E por mais carregada que esteja uma alma de pecados, Deus não pode desprezar um coração que se humilha. "Não desprezarás, ó Deus, um coração contrito e humilhado" (Sl 50,12). "Deus resiste aos soberbos e dá sua graça aos humildes" (Tg 4,6). Deus é severo com os soberbos e resiste às suas súplicas; benigno, porém, e misericordioso com os humildes. Um dia, falou Nosso Senhor a Santa Catarina de Sena: "Saibas, filha, que toda alma que perseverar humildemente na oração chegará a conseguir todas as virtudes".

14. Bela advertência de Monsenhor Palafox

É útil citar aqui uma bela advertência de Monsenhor Palafox, piedosíssimo bispo de Osma, às pessoas piedosas que procuram santificar-se, em sua anotação à 18ª carta de Santa Teresa a seu confessor. Ali conta-lhe a Santa todos os degraus de oração sobrenatural com que o Senhor lhe havia favorecido.

A esse propósito, o mencionado prelado prescreve que essas graças sobrenaturais, que Deus se dignou conceder à Santa Teresa e tem concedido a outros santos, não são necessárias para alcançar a santidade, porque muitas outras almas chegaram à santidade sem essas graças extraordinárias e até há muitas que, apesar de terem recebido aquelas graças, estão condenadas. Portanto, diz ser coisa supérflua e presunçosa desejar e pedir tais dons sobrenaturais, quando o verdadeiro e único caminho para a santidade é o exercício de todas as virtudes, especialmente do amor de Deus; e a isto se chega por meio da oração e pela correspondência às luzes e aos auxílios de Deus, o qual outra coisa não quer senão a nossa santificação. "Esta é a vontade de Deus: a vossa santificação" (1Ts 4,3).

15. Os diversos graus da oração e como alcançá-los

Por isso, o referido autor, falando dos graus da oração sobrenatural, de que tratava a santa, a saber: da oração de repouso, do sono e da suspensão das faculdades da alma, da união, do êxtase, do arrebatamento, do voo e ímpeto do espírito e da chaga espiritual, sabiamente escreve e diz que, quanto à oração de repouso, o que devemos desejar e pedir a Deus é que nos livre do apego e desejo dos bens terrenos, os quais não dão paz, mas sim trazem aflições e inquietações ao espírito. Bem falou Salomão: "Vaidade das vaidades, tudo é vaidade!" (Eclo 1,14). O coração do homem jamais encontrará a verdadeira paz, senão se livrando de tudo o que não é de Deus, para dar lugar a seu santo amor, para que Ele só o possua. Mas a alma por si própria não pode alcançar isso, mas unicamente por meio de repetidas orações.

Quanto ao sono e suspensão das faculdades da alma, devemos pedir a Deus que essas faculdades durmam para as coisas terrenas e só estejam acordadas para considerar a divina bondade, para aspirar ao amor divino e aos bens eternos.

Quanto à oração da união, devemos pedir a Deus a graça de não pensar, de não procurar e de não querer senão o que Deus quer, pois que toda a santidade e perfeição do amor consiste em conformar-se a nossa vontade com a vontade de Deus.

Quanto ao êxtase e ao arrebatamento, peçamos a Deus que nos livre do amor desregrado de nós mesmos e das criaturas, para nos atrair todos a si.

Quanto ao voo do espírito, roguemos a Deus a graça de vivermos desapegados do mundo e de fazermos como as andorinhas, que, nem mesmo para se alimentar, param no chão e voando tomam o seu alimento. Isto quer dizer que devemos nos servir destes bens temporais tanto quanto for necessário à vida, mas sempre voando, sem nos determos sobre a terra para procurar os prazeres mundanos.

Quanto ao ímpeto do espírito, peçamos a Deus que nos dê coragem e fortaleza para fazermos violência a nós mesmos, quando for necessário, a fim de resistir aos assaltos dos inimigos, vencer as paixões e abraçar o sofrimento no meio de desconsolações e tédios do espírito.

Enfim, quando chega à chaga do amor, assim como a chaga com sua dor sempre renova a recordação do mal, do mesmo modo devemos pedir a Deus que nos fira o coração de tal sorte com o seu santo amor, a fim de que nos recordemos sempre de sua bondade e de seu afeto para conosco e assim vivamos ocupados sempre em amá-lo e agradecer-lhe com as nossas ações e afetos. Mas todas essas graças não se obtêm sem a oração; e com a oração, contanto que seja humilde, confiante e perseverante, tudo se alcança.

III – A confiança com que devemos rezar

16. "Peça com fé e sem hesitação alguma!"
Admoesta-nos o Apóstolo São Tiago que, se quisermos alcançar alguma graça de Deus, por meio da oração, devemos fazê-lo com plena confiança e convicção de que vamos ser atendidos. Santo Tomás ensina que, assim como a oração tem a sua força meritória da caridade, do mesmo modo tem a eficácia de impetrar-nos as graças, da fé e confiança. A oração tem seu valor meritório da caridade; porém, a eficácia e virtude de impetrar graças têm da fé e confiança. O mesmo ensina São Bernardo dizendo que só a nossa confiança é que nos obtém a misericórdia de Deus. "Só a confiança, ó Senhor, nos obtém a vossa comiseração". Agrada sumamente a Deus a nossa confiança em sua misericórdia, porque assim honramos e exaltamos aquela sua infinita bondade que Ele quis manifestar ao mundo nos criando. Alegrem-se, pois, ó meu Deus, dizia o real profeta, todos os que esperam em vós, pois eles serão eternamente bem-aventurados e vós eternamente habitareis com eles: "Alegrem-se todos aqueles que esperam em Vós; exultarão eternamente e Vós habitareis neles" (Sl 5,12). Deus protege e salva a todos os que confiam nele. Salva os que esperam nele. Quantas promessas não se encontram nas Escrituras feitas aos que esperam em Deus! "Todos os que nele esperam não pecarão" (Sl 33,23). Sim, porque diz Davi que o Senhor tem os seus olhos voltados para os que confiam em sua bondade, a fim de libertá-los, com o seu auxílio,

da morte do pecado. E, em outro lugar, o próprio Deus afirma: "Porquanto em mim esperou, livrá-lo-ei, protegê-lo-ei... livrá-lo-ei e glorificá-lo-ei" (Sl 90,14-15). Note-se a palavra: porquanto em mim confiou, protegê-lo-ei, livrá-lo-ei dos inimigos e do perigo de cair e finalmente lhe darei a glória eterna. Falando Isaías dos que esperam no Senhor, diz: "Os que esperam no Senhor terão sempre forças novas, tomarão asas como de águia, correrão e não se fatigarão, andarão e não desfalecerão" (Is 40,31). "Deixarão de ser fracos e adquirirão em Deus uma grande força; não desfalecerão, nem sequer sentirão fadiga no caminho da salvação, mas correrão e voarão como águias" (Is 40,31). Vossa fortaleza está no silêncio e na esperança. Em suma, toda a nossa força, diz o mesmo Profeta, consiste em colocarmos toda a nossa confiança em Deus e em nos calarmos, quer dizer, em repousarmos nos braços de sua misericórdia, sem confiar em nossos esforços e nos meios humanos.

17. *"Jamais se perdeu quem confiou em Deus"*

Baseado nesta esperança tinha Davi por certo que nunca se perderia. "Ninguém esperou no Senhor que fosse confundido" (Eclo 2,11). "Em vós, Senhor, esperei; não serei confundido eternamente" (Sl 30,1). Porventura, pergunta Santo Agostinho, poderá Deus enganar-nos oferecendo-se para sustentar-nos nos perigos quando a Ele recorremos e, depois, retirando-se de nós, quando, de fato, recorremos a Ele? Davi chama bem-aventurado a quem confia no Senhor: "Bem-aventurado é o homem que espera em Vós"

(Sl 83,13). E por quê? Porque, diz o Profeta, quem confia em Deus será sempre cercado pela misericórdia divina: "Ao que espera no Senhor, a misericórdia o cercará" (Sl 31,10).

Sim, de tal modo será cercado de todos os lados e guardado por Deus que ficará seguro dos inimigos e do perigo de perder-se.

18. "Confiemos em Deus!"

Conservemos a confiança nele, diz o Apóstolo, porque assim poderemos esperar uma grande recompensa. Assim como for a nossa confiança, do mesmo modo serão as graças de Deus. "Uma grande confiança merece grandes coisas."

Escreve São Bernardo que a divina misericórdia é uma fonte imensa; e nós apanhamos as graças com os vasos da confiança; quem vier com um vaso maior poderá tirar maior número de graças. "Só nos vasos da confiança o Senhor deita o azeite de sua misericórdia." E, já antes, dissera o Profeta: "Venha, Senhor, sobre nós a vossa misericórdia, assim como temos esperado!" (Sl 32,22). Isto vemos realizado com o centurião, a quem o Redentor disse, louvando a sua confiança: "Vai e te seja feito assim como creste" (Mt 8,13). Revelou Nosso Senhor à Santa Gertrudes que "quem reza com confiança faz tanta violência a seu coração que o obriga a atender a tudo quanto pede". "A oração, diz São João Clímaco, faz violência a Deus, mas uma violência que lhe é cara e agradável".

19. "Aproximemo-nos com confiança"

"Aproximemo-nos, exorta São Paulo, com confiança, do trono da graça a fim de alcançarmos misericórdia e de acharmos graça, para sermos socorridos oportunamente" (Hb 4,16). O trono da graça é Jesus Cristo, que está assentado à direita do Pai, não sobre um trono de justiça, mas de graça, para nos obter o perdão, se estivermos em estado de pecado, e o auxílio necessário para preservarmos, se estivermos na amizade de Deus. Para este trono devemos dirigir-nos sempre com confiança, mas com uma confiança firme e certa.

Quem, ao contrário, reza com uma confiança vacilante, não pense que alcançará alguma coisa, como afirma São Tiago: "Aquele que duvida é semelhante à onda do mar. Que é agitada e levada de uma parte para outra pela violência dos ventos; não pense esse homem que há de receber alguma coisa de Deus" (Tg 1,6-7). Não receberá nada, porquanto a sua dúvida entre confiança e desconfiança impedirá a misericórdia divina de ouvir as suas súplicas. "Não rezaste bem, como devias, porque rezando duvidaste, diz São Basílio; não recebeste a graça porque a pediste duvidando". Disse Davi que a nossa confiança deve ser inabalável como uma montanha, que não se move a qualquer sopro do vento: "O que confia no Senhor está firme como o monte de Sião" (Sl 123,1). O Senhor nos adverte que se quisermos obter as graças que pedimos, devemos fazê-lo com fé: "Todas as coisas que pedirdes orando, crede que a recebereis, e que assim vos sucederá" (Mc 11,24). Qualquer que for a graça que pedirdes, estais certos que sereis atendidos.

20. Qual é o fundamento desta confiança?

Mas, dirá alguém, em que posso eu, miserável, fundamentar esta minha confiança certa de obter o que peço? Em que coisa? Na promessa de Nosso Senhor Jesus Cristo: "Pedi e recebereis" (Jo 16,24). Quem poderá recear de ser enganado, se é a própria verdade quem o promete? – Diz Santo Agostinho. Como podemos duvidar de sermos atendidos quando Deus, a própria Verdade, promete conceder-nos o que pedimos na oração? "Não nos admoestaria a pedir, diz o mesmo Santo Doutor, se não nos quisesse ouvir". Mas é isto o que Ele tanto nos inculca e tantas vezes repete na Sagrada Escritura: "Pedi, orai, buscais e obtereis tudo quanto desejardes". Pedireis tudo o que quiserdes e ser-vos-á feito.

E para rezarmos com a devida confiança, ensina-nos o Salvador na oração do Pai-Nosso que, ao recorrermos a Deus, a fim de recebermos as graças necessárias para a nossa salvação, as quais estão todas no Pai-Nosso, chamemos a Deus não de Senhor, mas sim de Pai: *Pai, nosso*. Quer que peçamos a Deus as graças com a mesma confiança que um filho doente e pobre pede o alimento e o remédio a seu pai. Se um filho está para morrer de fome, o pai logo o socorrerá, e se for mordido de uma serpente venenosa, basta mostrá-la ao pai para que ele aplique o remédio que já tem preparado.

21. Esperemos contra a esperança!

Confiados, pois, nas diversas promessas, peçamos sempre com uma confiança inabalável, como diz o Apóstolo: "Conservemos firmes a promessa da nossa esperança, porque fiel é o que fez a promessa" (Hb 10,23). Portanto, como é certo que Deus é fiel em suas promessas, assim também certa deve ser a confiança de sermos atendidos por Ele, quando o invocarmos. E, ainda que, às vezes, ou por nos acharmos em estado de aridez espiritual, ou por estarmos perturbados com qualquer falta cometida, não sintamos na oração aquela confiança sensível que tanto desejávamos; contudo nos esforcemos por pedir e não por deixar de pedir, porquanto Deus não deixará de nos atender. Mas nos ouvirá mais depressa, porque então rezaremos com maior desconfiança de nós e confiaremos só na bondade e fidelidade de Deus que prometeu atender a quem o invocar. Oh! como é agradável a Nosso Senhor a nossa esperança no tempo de tribulações, temores e tentações, quando esperamos contra a esperança, quer dizer, contra aquele sentimento de desconfiança causado por nossa desolação. O Apóstolo elogia o patriarca Abraão com as seguintes palavras: "Creu na esperança, contra toda a esperança" (Rm 4,18).

22. A confiança nos torna santos

Diz São João que quem confiar incondicionalmente em Deus se torna santo. "E todo o que tem esta esperança nele santifica-se a si mesmo, assim também como Ele é santo" (1Jo 3,3). É porque Deus derrama fartamente suas graças sobre todos o que nele confiam. Com esta confiança, tantos mártires, tantas virgens, tantas crianças, apesar dos horríveis tormentos infligidos pelos tiranos, saíram vencedores.

Às vezes, pedimos e parece que Deus não quer ouvir-nos, mas não deixemos, então, de pedir e esperar. Digamos, então, como Jó: "Mesmo que Deus me tirasse a vida, eu esperaria nele" (Jó 13,15). Meu Deus, ainda que me expulsásseis de vossa presença, não deixaria de pedir-vos e de esperar em vossa misericórdia. Façamos assim e obteremos de Nosso Senhor tudo o que quisermos. Assim fez a mulher cananeia e obteve tudo de Jesus. Esta mulher tinha uma filha atormentada pelo demônio e pediu a Nosso Senhor que a livrasse: "Tem compaixão de mim, pois minha filha está atormentada pelo demônio" (Mt 15,22). Nosso Senhor respondeu-lhe que não fora enviado para os gentios, mas sim para os judeus. Não desanimou a mulher e tornou a pedir com confiança: "Senhor, vós podeis consolar-me e vós haveis de me consolar: Senhor, ajudai-me". Jesus replicou: "Não é bom tomar o pão dos filhos e lançá-lo aos cães". "Mas, Senhor meu, acrescentou ela, também os cachorrinhos comem das migalhas da mesa dos donos". Então o Salvador, vendo a grande confiança dessa mulher, louvou-a e concedeu-lhe a graça, dizendo: "Ó mulher, grande é a tua fé; faça-se contigo como desejas!". "E quem, diz o Eclesiástico, jamais invocou o auxílio de Deus e Deus o desprezou e não o socorreu? Quem o invocou e foi por Ele desprezado?" (2,12).

23. *"A oração é uma chave que nos abre as portas do céu"*

Diz Santo Agostinho que a "oração é uma chave que nos abre a porta do céu". No mesmo momento em que a nossa oração sobe para Deus, desce para nós a graça pedida. Escreveu o real Profeta que as nossas súplicas andam sempre ao lado da misericórdia divina: "Bendito seja Deus, que não rejeitou a minha oração, nem apartou a sua misericórdia de mim" (Sl 65,20). Diz por isso o mesmo Santo Agostinho que, quando estamos rezando, podemos estar certos de que estamos sendo atendidos. "Quando vires que a tua oração não se apartou de ti, podes estar certo de que tampouco a misericórdia divina se afastou de ti."

E eu, quanto a mim, falo a verdade e confesso que me sinto mais consolado no espírito, e nunca sinto maior confiança em salvar-me do que quando rezo e me recomendo a Deus. O mesmo penso que sentem todos os fiéis, pois todos os outros sinais de salvação que temos são incertos e falíveis. Mas que Deus atende a quem o invoca com confiança é verdade certa e infalível, como é infalível a verdade que Deus não pode faltar às suas promessas.

24. *"Tudo posso naquele que me conforta"*

Quando nos sentirmos fracos e incapazes de vencer qualquer tentação ou qualquer dificuldade em observar os mandamentos do Senhor, animemo-nos, dizendo com o Apóstolo: "Tudo posso naquele que me conforta" (Fl 4,13). Não imitemos os que dizem: "não posso, não tenho ânimo". É certo que nada podemos de nós mesmos, mas com o auxílio divino podemos tudo. Se Deus dissesse a alguém: "Toma aquele monte sobre teus ombros e carrega-o. Eu te ajudarei". Não seria um insensato quem respondesse: não tenho forças para carregá-lo? Do mesmo modo, quando nos sentimos fracos e enfermos, combatidos por muitas tentações, não percamos o ânimo e levantemos os olhos a Deus e digamos com Davi: "O Senhor é meu amparo, desprezarei os meus inimigos" (Sl 117,6). Com o auxílio de Deus desprezarei e vencerei todos os meus inimigos. E quando estivermos em perigo de ofender a Deus ou em outra grave necessidade, e confusos não soubermos o que fazer, recomendemo-nos a Nosso Senhor, dizendo: "O Senhor é minha luz e a minha salvação; a quem temerei?" (Sl 26,1). E fiquemos certos de que Deus nos esclarecerá e nos preservará de todo o mal.

25. *"Mas sou pecador"*, dizem alguns

E na Escritura leio: "Deus não ouve os pecadores". Responde Santo Tomás com Santo Agostinho: "Esta palavra foi dita pelo cego de nascimento, quando não estava ainda bastante esclarecido, e por isso não tem valor".

Acrescenta Santo Tomás que essas palavras encerram uma grande verdade: trata-se do pecador que reza com o desejo de continuar a pecar; por exemplo, se pedisse a Deus auxílio para se vingar de um inimigo ou para fazer qualquer outra coisa má. O mesmo se entende do pecador que pede a Deus a sua salvação, sem nenhum desejo de sair do pecado.

Há de fato alguns que armam laços com que o demônio os prende como escravos. As orações destes não são atendidas por Deus, porque são orações temerárias e abomináveis. Não é uma temeridade pedir graças a um príncipe, a quem não só já se ofendeu, como também se pensa em ofender futuramente? Neste sentido devemos compreender o que disse o Espírito Santo que a oração daquele que não quer propositadamente ouvir o que Deus manda é aborrecida e detestável: "Daquele que desvia os seus ouvidos para não ouvir a lei, a oração será execrável" (Pr 28,9). A esses, diz Nosso Senhor: Podeis rezar quanto quiserdes, afastarei de vós os meus olhos e quando multiplicardes as vossas orações, não vos atenderei" (Is 1,15). Tal foi a oração do ímpio rei Antíoco, que pedia a Deus e prometia grandes coisas, mas hipocritamente, tendo o seu coração preso ao pecado; rezava só para evitar o castigo que estava iminente e por isso Nosso Senhor não ouviu os seus rogos e permitiu que fosse comido por vermes e morresse de uma morte desgraçada. Este malvado rezava, mas não podia receber misericórdia.

26. *Outros pecam por fraqueza ou por um ardente assalto da paixão*

Outros que pecam por fraqueza ou por um ímpeto de alguma paixão e gemem sob o jugo do inimigo, desejando romper aquelas cadeias de morte e sair daquela miserável escravidão, rezam e pedem o auxílio de Deus; a oração deles, se for constante, será atendida por Deus: "Todo o que pede recebe, e quem busca acha" (Mt 7,8); todo, isto é, (como explica o autor da "Obra imperfeita"), tanto o justo como o pecador.

No evangelho de São Lucas, Nosso Senhor fala do homem que deu todos os pães que tinha ao amigo, não por amizade, mas para ser livre da importunação, e diz: "Se o outro perseverar em bater, digo-vos, ainda que ele não se levante para dar-lhe os pães, por ser seu amigo, pelo menos vai levantar-se por causa da amolação. E vai dar tudo o que o amigo precisa. Por isso vos digo: Pedi e dar-se-vos-á, buscai e achareis; batei e abrir-se-vos-á" (Lc 11,8). A oração constante obtém misericórdia de Deus, mesmo para os que não são seus amigos.

"O que não se alcança pela amizade, diz São João Crisóstomo, alcança-se pela oração". O mesmo santo chega a dizer: "A oração vale mais diante de Deus do que a amizade". São Basílio não duvida de que os pecadores obtenham o que pedem, contanto que peçam com perseverança. O mesmo diz São Gregório: "Clame o pecador a Deus e a Ele chegará a sua oração". São Jerônimo escreve que também o pecador pode chamar a Deus de seu pai, se lho pede para que o aceite de novo por filho, a exemplo de filho pródigo, que, antes de pedir perdão, chamou-o com o nome de pai: "Pai, pequei". Se Deus não atendesse os pecadores, diz Santo Agostinho, em vão teria o publicano pedido perdão, dizendo: "Tende, Senhor, piedade de mim, pecador!". Mas o próprio Evangelho nos afirma que ele obteve o perdão: "Este voltou justificado para sua casa" (Lc 18,14).

27. Deus ouve a oração dos pecadores

Quem tratou esta questão mais detalhadamente foi Santo Tomás, e ele não hesita em dizer que também o pecador é atendido quando reza. O santo afirma que a oração do pecador, embora não seja meritória, tem não obstante a virtude de impetrar graças, porque a concessão de graças não vem da justiça, mas da bondade de Deus: "O merecer depende da justiça, o impetrar depende da bondade de Deus". Justamente neste sentido pedia Daniel: "Inclinai, meu Deus, vosso ouvido e escutai, porque, prostrando-nos em terra diante de vossa face, não fazemos estas deprecações fundados em algum merecimento de nossa justiça, mas na multidão de vossas misericórdias" (9,18).

Quando oramos, diz Santo Tomás, para obtermos as graças que pedimos, não é necessário sermos amigos de Deus: "A própria oração nos torna seus amigos". Uma bela razão traz São Bernardo, dizendo que esta súplica do pecador, de poder sair do pecado, provém do desejo de voltar à graça de Deus. Se Deus, diz o Santo, inspira ao pecador tal desejo, é um sinal de que quer atendê-lo: "Para que daria a Deus um tal desejo, se não o quisesse atender?". Na Escritura há muitos exemplos de pecadores que se converteram pela oração. Assim, livrou-se do pecado o rei Acab, assim Manassés, assim Nabucodonosor, assim também o bom ladrão. Ah! Como é grande e poderosa a oração! Dois pecadores no alto do Calvário morrem ao lado de Jesus. Um se salva porque reza, outro se perde porque não reza!

28. Nenhum pecador arrependido pediu ao Senhor benefícios, sem receber o que desejava

"Nenhum pecador arrependido pediu ao Senhor benefícios, sem receber o que desejava", diz São Crisóstomo. Mas para que alegar mais razões e autoridades, desde que o próprio Jesus Cristo disse: "Vinde a mim a todos o que trabalhais e vos achais carregados e eu vos aliviarei" (Mt 11,28). Segundo São Jerônimo, Santo Agostinho e outros, "carregados" são geralmente os pecadores que gemem sob o peso de suas culpas. Se recorrem a Deus, Ele, conforme sua promessa, os salvará, com o auxílio de sua graça.

"Tu não desejas tanto o perdão de teus pecados, quanto Deus deseja perdoar-te", diz São João Crisóstomo. Não há graça, acrescenta o mesmo Santo, que não se obtenha pela oração ainda feita pelo pecador mais miserável, contanto que seja confiante e assídua. Notemos bem o que diz São Tiago: "Se alguém necessita de sabedoria, peça-a a Deus, que a concede generosamente a todos, sem impropérios" (Tg 1,5). Todos quantos recorrem a Deus pela oração são atendidos por Ele e cumulados de graças. A todos dá liberalmente. Mas consideremos bem as palavras "sem impropérios". Isto quer dizer que Deus não faz como os homens: Quando alguém nos pede um favor, se fomos ofendidos antes, censuramos a injúria recebida. Deus não procede desta forma com quem o invoca, ainda que fosse o maior pecador do mundo. Quando ele lhe pede qualquer graça necessária à salvação, não o acusa das ofensas feitas, mas o recebe como se nunca tivesse sido ofendido por ele, consola-o, atende-o e prodigamente o enriquece de dons.

29. Rezemos, rezemos muito!

Foi principalmente para nos incitar a rezar que o Redentor disse: "Em verdade, em verdade, vos digo: se pedirdes alguma coisa a meu Pai em meu nome, Ele vo-la dará" (Jo 16,23). É como se dissesse: Ó pecadores, não desanimeis; que os vossos pecados não vos detenham de recorrer a meu Pai e esperar dele a vossa salvação! Não tendes merecimentos, mas deméritos. Aproximai-vos do Pai em meu nome e impetrai as graças desejadas pelos merecimentos. Eu vos prometo e juro ("em verdade, em verdade", palavras que, segundo Santo Agostinho, são uma espécie de juramento), que meu Pai vos concederá tudo quanto pedirdes.

Ó Deus! que maior consolação pode ter um pecador, depois de sua queda, do que a de saber, com certeza, que receberá tudo quanto pedir a Deus em nome de Jesus Cristo?

30. Receberá tudo

"Receberá tudo" quer dizer: aquilo que se refere à salvação eterna; porque, quanto aos bens temporais (já dissemos anteriormente), ainda que os peçamos, o Senhor às vezes não no-los concede, porque sabe que esses bens causariam dano à nossa alma.

Mas quanto aos bens sobrenaturais, a sua promessa de atender-nos não é condicional, mas absoluta. Por isso nos adverte Santo Agostinho: "O que Deus prometeu, pedi confiadamente". E como, escreve o Santo, jamais poderá o Senhor negar-nos coisa alguma, quando lhe pedimos com confiança, sendo que Ele deseja mais dar-nos as suas graças do que nós recebê-las.

31. Deus se irrita contra nós

"Deus só se irrita contra nós quando deixamos de rezar", diz São João Crisóstomo. Como pode ser que Deus não queira atender a uma alma que lhe pede coisas que lhe são muitíssimo agradáveis? A alma lhe diz: Senhor, não quero bens terrenos, riquezas, prazeres, honras, mas peço-vos unicamente o vosso amor; livrai-me do pecado, dai-me a vossa santa amizade (graça que, segundo São Francisco de Sales, deve-se pedir antes de todas as outras), dai-me resignação à vossa vontade... Como é possível que Deus não atenda? E que súplicas atendereis, Senhor, diz Santo Agostinho, se não atendeis as que são tanto do vosso gosto?

Mas, sobretudo, deve-se avivar a nossa confiança, quando pedimos a Deus bens espirituais, como disse Nosso Senhor: "Se vós, que sois maus, sabeis dar o que é bom aos vossos filhos, quanto mais o Pai do céu dará o Espírito Santo aos que lhe pedirem" (Lc 11,13). Se vós, diz o Redentor, tão apegados aos vossos interesses e tão cheios de amor próprio, não negais aos vossos filhos o que pedem, quanto mais o Pai do céu, que vos ama acima de qualquer pai terrestre, vos dará bens espirituais quando lhe pedirdes!

IV – A perseverança na oração

32. Devemos rezar com perseverança

É, pois, necessário que rezemos com humildade e confiança. Entretanto, isto só não basta para alcançarmos a perseverança final e, com ela, a salvação eterna. As graças particulares que pedimos a Deus podemos obtê-las por meio de orações particulares. Mas se não perseverarmos na oração, não conseguiremos a perseverança final, a qual compreende uma cadeia de graças e, por isso, supõe orações repetidas e continuadas até a morte.

A graça da salvação não é uma só graça, mas uma corrente de graças, as quais vêm todas se unir à graça da perseverança final. Ora, essa corrente de graça deve, por assim dizer, corresponder à outra corrente de nossas orações. Se deixarmos de rezar, rompemos a corrente de nossas orações e, então, romper-se-á igualmente a corrente das graças, que nos hão de alcançar a salvação e, assim, não nos salvaremos.

33. Não podemos merecer a perseverança final

É verdade que não podemos merecer a perseverança final, como ensina o santo Concílio de Trento: "Unicamente pode no-la dar Aquele que tem o poder de sustentar os que estão de pé, para que eles se conservem de pé até o fim". Apesar disso, julga Santo Agostinho que podemos merecer de certo modo este grande dom da perseverança, por meio de nossas orações, isto é, por súplicas insistentes. E quem reza, ajunta Soares, consegue-a infalivelmente.

Entretanto, para alcançar esta graça e conseguir a salvação eterna, são necessárias – diz Santo Tomás – orações perseverantes e contínuas. "Depois do batismo, é necessária ao homem a oração contínua para poder entrar no céu." E antes dele, repetidas vezes, já o disse o Salvador:

"É preciso rezar sempre e nunca descuidar" (Lc 18,1). "Vigiai, portanto, orando em todo o tempo, para que sejais dignos de evitar todas estas coisas, que hão de acontecer, e de vos apresentardes com confiança diante do Filho do homem" (Lc 21,36). Já no Antigo Testamento lemos: "Nada te impeça de rezar sempre" (Eclo 18,22). "Bendize a Deus em todo o tempo e pede-lhe que dirija os teus caminhos" (Tb 4,26). Por isso aconselhava o Apóstolo aos seus discípulos que nunca deixassem de rezar: "Orai sem intermissão!" (1Ts 5,17). "Perseverai e vigiai na oração!" (Cl 4,2). "Quero, pois, que os homens rezem em todo lugar" (1Tm 2,8). O Senhor quer dar-nos a perseverança e a vida eterna, mas diz São Nilo: "Não a quer dar senão a quem lhe pede com perseverança". Muitos pecadores chegam a se converter com auxílio da graça e a receber o perdão. Mas, porque deixam de rezar e pedir a perseverança, tornam a cair e perdem tudo.

34. Deve-se pedir diariamente a graça da perseverança

Não basta, diz Belarmino, pedir a graça da perseverança uma vez só ou mesmo algumas vezes. Devemos pedi-la sempre, todos os dias, até a morte, se quisermos alcançá-la. Quando a pedirmos, alcançaremos. No dia em que a pedirmos, Deus no-la concederá. Mas, no outro dia em que deixarmos de pedi-la, cairemos em pecado. Isto é o que Nosso Senhor queria nos ensinar, propondo a parábola do amigo que não queria dar os pães ao que lhe pedia, senão depois de muitos e importunos rogos: "Se ele não se levantar para dar-lhe os pães, por ser amigo, pelo menos vai se levantar por causa da amolação. E vai dar tudo o que o amigo precisa" (Lc 11,8). Ora, diz Santo Agostinho, se este homem levanta-se e dá-lhe os pães, para não ser importunado, quanto mais Nosso Senhor nos atenderá, sendo Ele que nos exorta a pedir e se desgosta, quando não pedimos!

O Senhor quer conceder-nos a salvação e todas as graças necessárias para consegui-la. Mas Ele quer que o importunemos com nossas orações. Diz Cornélio a Lápide, sobre o mencionado texto do Evangelho: "Deus quer que perseveremos na oração até a importunação. Os homens deste mundo não suportam importunos, mormente em pedir-lhe a graça da perseverança".

35. Rezemos sempre!

Para alcançarmos, pois, a graça da perseverança é mister recomendarmo-nos sempre a Deus, de manhã à noite, na meditação, na Missa, na comunhão, em uma palavra: sempre, especialmente, porém, no tempo das tentações. Então, devemos dizer e repetir sempre: Senhor, ajudai-me! Senhor, assisti-me, protegei-me! Senhor, não me abandoneis; tende piedade de mim! Pode haver coisa mais fácil do que dizer: Senhor, ajudai-me, assisti-me!?

Sobre as palavras do Salmista: "Dentro de mim orarei ao Deus de minha vida", diz a glosa: "Dirá alguém: não posso jejuar, não posso dar esmolas; mas não poderá dizer: eu não posso rezar, pois é a coisa mais fácil que há". Contudo, não devemos cessar de rezar. É preciso que continuamente façamos, por assim dizer, violência a Deus, para que Ele sempre nos auxilie com a sua graça. "Esta violência é agradável a Deus", escreveu Tertuliano. São Jerônimo diz: "Quanto mais forem importunas e perseverantes as nossas orações, tanto mais agradáveis serão a Deus".

36. "Bem-aventurado o homem que ouve e que vela diariamente à entrada da minha casa" (Pr 8,34)
Bem-aventurado, diz Nosso Senhor, é aquele homem que ouve e continuamente vela às portas da minha misericórdia com as suas orações.

Isaías diz: "Bem-aventurados todos os que o esperam" (30,18). Bem-aventurados aqueles que até ao fim, pedindo e rezando, aguardam do Senhor a sua salvação.

Por isso, no Evangelho, Nosso Senhor nos exorta a pedir, mas de que maneira? "Pedi e recebereis; buscai e achareis; bateis e abrir-se-vos-á" (Lc 11,9). Bastava dizer: "Pedi". Para que acrescentar: "buscai", "batei"? Mas não. Não foi supérfluo acrescentar essas palavras. Com isso, queria Jesus ensinar-nos que devemos fazer como fazem os pobres, quando vão pedir esmolas. Esses, quando não recebem a esmola pedida, pedem uma e mais vezes, batem repetidas vezes à porta, quando não vem logo alguém atendê-los, e, por fim, tornam-se molestos e importunos. Deus quer que façamos assim também. Quer que supliquemos e tornemos a suplicar, e não cessemos de suplicar que nos assista, nos socorra, nos ilumine, nos fortaleça, e não permita que venhamos ainda a perder a sua graça. Diz o douto Léssio que dificilmente se pode desculpar de pecado mortal aquele que, em estado de pecado ou em perigo de morte, não reza. Do mesmo modo, peca quem deixa de rezar por um notável espaço de tempo, isto é, por um ou dois meses. Isto se deve entender fora do tempo da tentação, porquanto que, for assaltado por qualquer tentação grave e não recorrer a Deus logo, sem dúvida, peca gravemente, expondo-se desta forma a um perigo próximo e certo de cair.

37. Por que Deus não concede a graça da perseverança de uma só vez?

Já que Deus pode e quer dar-me a graça da perseverança, por que não ma concede toda de uma só vez, quando lhe peço? São muitas as razões que nos dão os santos Padres. Deus não a concede de uma vez e difere a sua concessão, para, antes de tudo, experimentar a nossa confiança. Depois, diz Santo Agostinho, para que a desejamos mais ardentemente: "Os grandes dons exigem um grande desejo, porquanto tudo o que se alcança com facilidade não se estima tanto como o que se desejou por muito tempo. Deus não quer dar-te logo o que pedes, para aprenderes a desejar com grande desejo".

Outro motivo é para nós não esquecermos dele. Se já estivéssemos seguros de perseverarmos e de alcançarmos a salvação e não necessitássemos continuamente do auxílio de Deus para conservarmos sua graça e nos salvarmos, facilmente nos esqueceríamos dele. A necessidade obriga os pobres a frequentar as casas dos ricos. Por esta razão, querendo Deus atrair-nos a si, como diz São João Crisóstomo, e ver-nos muitas vezes a seus pés, a fim de nos conceder a graça, que completa a nossa salvação, até a hora de nossa morte. "Deus demora em atender-nos, não por repelir as nossas orações, mas para nos tornar mais fervorosos e nos atrair para Si."

Além disso, Deus age desse modo para que nós, rezando sempre, nos unamos mais estreitamente a Ele pelos doces laços do amor. "A oração, diz São João Crisóstomo, não é um vínculo insignificante do amor de Deus. É ela que nos acostuma a falar com Deus". Que incentivo e que vínculo de amor são o recurso contínuo a Deus pela oração e a confiança com que esperamos as graças! Quanto nos inflama e une a Deus!

38. Até quando devemos rezar?

Devemos rezar sempre, responde o mesmo Santo, até que nos seja proferida a sentença tão auspiciosa da salvação eterna, isto é, até a hora de nossa morte. "Não desistas até receberes." E ajunta que quem disser: "Não deixarei de rezar até que me salve", certamente se salvará. Escreve o Apóstolo: "Muitos correm no estádio em busca do prêmio, mas unicamente um o alcança, não sabeis disto? Correi para alcançá-lo" (1Cor 9,24). Não basta, pois, pedir a graça da salvação. É necessário pedir sempre, até alcançarmos a coroa prometida por Deus unicamente aos que a pedirem constantemente até o fim.

39. Para se alcançar a salvação, é necessário rezar sempre

Devemos fazer como Davi, que tinha os seus olhos constantemente voltados para Deus a fim de implorar o seu socorro e para não ser vencido por seus inimigos: "Os meus olhos se volvem continuamente para Deus, porquanto Ele afastará os meus pés do laço" (Sl 24,15). Assim como o demônio não descansa, armando-nos contínuas ciladas para nos devorar, como nos escreve São Pedro: "O demônio, adversário vosso, anda rodeando-vos, como um leão que ruge, buscando sua presa" (1Pd 5,8), do mesmo modo, nós, para sermos protegidos contra tal inimigo, nunca devemos depor as armas, mas devemos dizer com o real Profeta: "Perseguirei os meus inimigos e não voltarei atrás, enquanto não derrubá-los por terra" (Sl 17,4). Não cessarei de combater, até que veja meus inimigos destroçados.

Mas como poderemos alcançar esta vitória, para nós tão difícil? Por meio de constantes orações, responde-nos Santo Agostinho, e só com orações perseverantes.

E até quando? Durante todo o tempo de combate. "Assim como nunca cessa a luta, diz São João Boaventura, assim também nunca devemos deixar de pedir a misericórdia divina, para não sermos vencidos". Ai daquele que, durante o combate, abandonar a oração, diz o Sábio, "ai dos que não perseveram na oração!" (Eclo 2,16). Chegaremos à salvação, diz o Apóstolo, mas com esta condição: contanto que sejamos fiéis e perseverantes na oração, até a morte.

40. Quem nos separará do amor do Cristo?

Confiados, pois, na divina misericórdia e em suas promessas, digamos com São Paulo: "Quem nos separará do amor de Cristo? Será a tribulação? Ou a angústia?... Ou o perigo? Ou a perseguição? Ou a espada?" (Rm 8,35). Quem nos separará do amor de Cristo? Talvez a tribulação? o perigo de perder os bens desta terra, as perseguições dos demônios ou dos homens? Os tormentos dos tiranos? "Superaremos tudo por Aquele que nos ama" (Rm 8,37). Não, dizia ele, nenhuma tribulação, nenhuma angústia, perigo ou perseguição jamais nos poderá separar do amor de Jesus Cristo. Porque, com o auxílio divino, venceremos tudo, pois combateremos por aquele Senhor que deu a vida por nós.

Depois de ter o Padre Hipólito Durazzo resolvido renunciar uma prelazia romana, a fim de entregar-se todo a Deus, e entrar na Companhia de Jesus, como o fez mais tarde, receava muito, por causa de sua fraqueza, não ser fiel a Nosso Senhor. Por isso, dizia: "Não me desampareis, Senhor, mormente agora que me consagrei todo a vós". Mas ouviu o Senhor falar-lhe ao coração: "Não me abandones tu também!" Confiado na bondade de Deus e no seu auxílio, concluiu o servo de Deus dizendo: "Pois bem, meu Deus, vós não me abandonareis e eu não abandonarei a Vós".

41. "Seremos salvos pela esperança"

Se quisermos, pois, que Deus não nos abandone, devemos pedir-lhe sempre que nos auxilie. Fazendo assim, certamente Ele nos assistirá sempre e não permitirá que nos separemos dele e percamos a sua amizade. Procuraremos, por isso, rezar sempre e pedir a graça da perseverança final, bem como as graças para consegui-la.

Não nos esqueçamos também da graça de rezarmos sempre. Foi esta a grande promessa que fez pelos lábios do Profeta: "Derramarei sobre a casa de Davi e sobre os habitantes de Jerusalém o espírito da graça e da prece" (Zc 12,10). Oh! que grande graça é o espírito das preces, isto é, a graça que Deus concede a uma alma de rezar sempre! Não cessemos, pois, de pedir a Deus essa graça e esse espírito de oração. Porquanto, se pedirmos, certamente obteremos de Nosso Senhor a perseverança e todo e qualquer outro dom que desejarmos. Deus não pode deixar de nos ouvir, porque prometeu ouvir-nos: "Seremos salvos pela esperança". Por causa dessa esperança de rezar sempre, podemos julgar-nos salvos. Essa esperança, diz Beda, o Venerável, dar-nos-á entrada segura na cidade eterna do paraíso.

CONCLUSÃO

Tirada do quarto capítulo da segunda parte da obra original

A graça da oração é concedida a todos

1. A ninguém falta o auxílio divino para a oração
Já que a oração é tão necessária à salvação, devemos ter por certo que nunca nos faltará o auxílio divino para o ato da oração, sem que para isso seja necessária nova graça especial. Na oração encontraremos todos os outros auxílios para a observância dos mandamentos e para a consecução da vida eterna. Nenhum condenado poderá desculpar-se com a falta dos auxílios indispensáveis.

2. Deus quer a salvação de todos
Por isso morreu por nós Nosso Senhor Jesus Cristo, nosso Redentor. Deus concede a todos a sua graça e salvam-se todos os que lhe forem fiéis. Estamos todos obrigados a esperar firmemente que Deus nos dará a eterna salvação. Mas se não tivéssemos a certeza de que Deus dá a todos a graça de rezar sempre sem haver mister de uma graça particular, então, sem revelação especial, ninguém poderia ter a devida esperança de salvar-se.

3. Deus ama os que nele confiam
A virtude da esperança é tão cara a Deus que Ele declara achar a sua complacência nos que confiam nele. "O Senhor

se agradou sempre nos que esperam em sua misericórdia" (Sl 146,11). Promete a vitória sobre os inimigos, a perseverança na sua graça e a glória eterna a quem espera e porque espera. "Porquanto em mim esperou, livrá-lo-ei, protegê--lo-ei... livrá-lo-ei e glorificá-lo-ei" (Sl 90,14-15). "O Senhor os salvará, porque esperam nele" (Sl 36,40). "Guardai-me, Senhor, porque esperei em vós" (Sl 151). "Ninguém que esperou no Senhor foi confundido" (Eclo 2,10).

Persuadamo-nos de que as palavras de Deus e as suas promessas têm a mais absoluta firmeza, pois é certo que "os céus e a terra passarão, mas as minhas palavras não passarão" (Mt 24,35). Por isso São Bernardo diz que todo o nosso mérito consiste em confiar plenamente em Deus. O mo-tivo é porque muito honra a Deus a confiança que nele depositamos: "Invocai-me no dia da tribulação, livrar-vos--ei e honrar-me-eis" (Sl 49,15). Assim, o homem honra o poder, a misericórdia e fidelidade de Deus, porquanto crê que Deus pode e quer salvá-lo, e não pode faltar a sua promessa de salvar a quem nele confia. O profeta assegura-nos que, quanto maior for a nossa confiança, tanto maior será a misericórdia divina. "Fazei, Senhor, cair sobre nós a vossa misericórdia tanto quanto confiamos em vós" (Sl 32,22).

4. Deus nos ordena a esperança

Por ser tão agradável a Deus esta virtude da esperança, Ele no-la quis impor por um grave preceito, como dizem comumente os teólogos e como consta de muitos textos da Sagrada Escritura: "Esperai nele todo o povo" (Sl 61,9).

"Vós, os que temeis o Senhor, esperai nele" (Eclo 2,9). "Esperei sempre no vosso Deus" (Sl 25,5). "Esperai sempre na graça que vos é oferecida" (1Pd 1,13).

Esta esperança da vida eterna deve ser firme e certa em nós, como já disse Santo Tomás: "A esperança é a expectação certa da bem-aventurança". Isto também declarou expressamente o santo Concílio de Trento, dizendo: "No auxílio de Deus todos devem pôr firmíssima confiança, porque, assim como Deus começou em nós a boa obra, Ele que dá a vontade e a execução, também levará ao fim, contanto que cooperemos com sua graça". E, já antes, o declarou São Paulo dizendo de si próprio: "Porque sei em quem confiei e estou certo de que é poderoso para guardar o meu depósito" (2Tm 1,12).

Esta é a diferença que há entre a confiança do mundo e a confiança cristã. Para a esperança terrena, basta uma expectativa incerta e nem pode ser de outra maneira, porque sempre se pode duvidar se quem prometeu alguma coisa, mudou ou não a sua vontade de dar. Mas a esperança cristã, da parte de Deus, é certa, visto que Ele pode e quer salvar-nos e prometeu a salvação a quem observar a sua lei; prometeu, igualmente, aos que pedirem as graças necessárias para esse fim.

5. *Esperança e temor*

É verdade que a esperança vem sempre acompanhada do temor, como diz o Angélico. Porém, esse temor não tem sua fonte em Deus, mas em nós mesmos, porquanto podemos faltar sempre (não correspondendo como devemos) e pôr-lhe obstáculos com as nossas culpas. Por isso, com razão o Concílio Tridentino condenou o erro dos que negam o livre-arbítrio, querendo que cada homem tenha certeza infalível de sua perseverança e de sua salvação. Este erro foi condenado pelo Concílio Tridentino porque, como havíamos dito, para conseguirmos a vida eterna é necessária ainda a nossa cooperação, e esta cooperação é incerta, falível. Por isso, o Senhor quer que, de um lado, tenhamos sempre um santo temor de nós mesmos, para não cairmos na presunção de confiarmos em nós mesmos, e, doutro lado, exige que estejamos certos de sua boa vontade e de seu auxílio, sempre que pedirmos.

Confiados no poder e na misericórdia de Deus, diz Santo Tomás, certo de que Deus pode e quer nossa salvação, devemos esperar dele certamente a vida eterna. "Do poder e da misericórdia de Deus, está convencido quem tiver fé."

6. *Firme deve ser a razão por que esperamos*

Se, pois, deve ser firme a nossa confiança em Deus, consequentemente firme também deve ser o motivo de nossa esperança. Não sendo firme, mas duvidoso o fundamento da esperança, não poderíamos esperar e aguardar de Deus a salvação e os meios necessários para alcançá-la. São Paulo quer que esperemos com toda a certeza a nossa salvação: "Se perseverardes, fundados na fé, firmes e imóveis na esperança do Evangelho, que ouvistes" (Cl 1,23). E, em outro lugar, confirma dizendo que a nossa esperança deve ser imóvel como uma âncora segura e firme, pois está fundada nas promessas divinas, que não podem enganar: "Desejamos que cada um de vós mostre o mesmo zelo até o fim, para tornar completa a vossa esperança... para que, por estas duas coisas infalíveis, nas quais é impossível que Deus minta, tenhamos uma grande consolação, nós que pomos o nosso refúgio em alcançar a esperança proposta, a qual temos como uma âncora firme e segura da alma" (Hb 6,11-19).

São Bernardo diz que a nossa esperança não pode ser incerta, pois que ela se apoia nas promessas divinas: "Não nos parece vã e duvidosa esta esperança, pois nos apoiamos nas promessas divinas". Em outro lugar, falando de si mesmo, diz: "Sobre três bases coloco a minha esperança: o amor com que Deus nos adotou como filhos, a verdade de sua promessa e o poder que tem de cumprir sua promessa".

7. Oração sem hesitação

Por isso diz o Apóstolo São Tiago que, quem deseja as graças divinas, deve pedi-las não duvidando, mas com a firme certeza de obtê-las: "Peça com fé, sem hesitação alguma!" (Tg 1,6). Nada receberá, se duvidar: "Quem duvida é semelhante à onda do mar, que é levada de uma para outra parte pela violência do vento; não pense, pois, que alcançará alguma coisa do Senhor".

E São Paulo louva a Abraão por ele não ter duvidado das promessas divinas, sabendo que, quando Deus promete, não falta: "Não duvidou nem de leve das promessas de Deus, mas, fortificado pela fé, deu glória a Deus, sabendo que é poderoso para cumprir suas promessas" (Rm 4,20). Por isso, Jesus nos admoestou que receberemos todas as graças que desejamos, se pedirmos com a firme confiança de recebê-las. "Porquanto vos digo: Tudo o que pedirdes na oração crede que o recebereis e assim sucederá" (Mc 11,24). Em resumo, Deus não quer atender-nos, se não tivermos certos de sermos atendidos.

8. A oração é um meio necessário à salvação

Agora, pois, voltemos ao nosso propósito. Nossa esperança de obter a salvação e os meios necessários para a mesma deve ser firme da parte de Deus. Os motivos desta certeza são o poder, a misericórdia e a fidelidade divina.

Entretanto, o motivo mais firme é a fidelidade de Deus em prometer-nos a salvação pelos merecimentos de Jesus Cristo e dar-nos as graças necessárias para isso; pois, por mais firmemente que creiamos no infinito poder e na misericórdia de Deus, contudo, como nota Juvênio, não poderíamos esperar com uma confiança absoluta a salvação, se o Senhor não no-la tivesse prometido. Mas a promessa foi feita com a condição de rezarmos, como consta das Escrituras: "Pedi e recebereis. Se pedirdes a meu Pai em meu nome, Ele vos dará. Dará bens a quem lhe pedir. Importa rezar sempre. Não tendes porque não pedis. Se alguém necessitar de sabedoria, peça-a a Deus". E, assim, em muitos outros textos, que já nos referimos. Por isso os santos Padres e teólogos geralmente dizem que a oração é um meio necessário à salvação.

9. Deus é o único fundamento de nossa esperança

Ora, se não tivéssemos certeza de que Deus a todos dá a graça de rezar sempre, sem ser necessária outra graça especial, então, Deus não seria um fundamento certo e firme de nossa esperança e esse fundamento seria incerto e condicional. Quando estou certo de que, com a oração, obterei a vida eterna e todas as graças necessárias para consegui-la, e sei que Deus não me negará a graça de rezar sempre (porque a concede a todos), se eu quiser, então, tenho fundamento certo de esperar de Deus a salvação eterna, contanto que, de minha parte, não falte nada. Mas quando duvido se Deus me dará ou não a graça particular que não concede a todos, e que é necessária para rezar atualmente, então, não tenho em Deus um fundamento certo de esperança, mas um fundamento duvidoso e incerto, ficando na dúvida se Deus me dará ou não aquela graça especial necessária para poder rezar.

Essa incerteza não seria unicamente de minha parte, como também da parte de Deus, e, assim, cairia a esperança cristã, a qual deve ser firme e inabalável. Digo a verdade, não sei como o cristão possa cumprir o preceito da esperança, esperando de Deus, como deve, com uma confiança certa, a salvação e as graças necessárias para ela, sem ter por certo que Deus dá comumente a cada um, ao menos, a graça de rezar atualmente, se quiser, sem ser preciso outro auxílio especial.

10. A graça que é comum a todos

A graça, verdadeiramente suficiente, que é comum a todos, ajuda-nos contanto que correspondamos, para alcançarmos a graça eficaz. Mas se não correspondermos e, pelo contrário, se resistirmos a ela, com justiça nos será negada a graça eficaz. Desta sorte, não há desculpas para os pecadores que dizem não terem forças suficientes para vencer as tentações, porque, se rezassem, com o auxílio da graça comum, que é concedida a todos, alcançariam a salvação. Mas não se admitindo essa graça comum com a qual cada um possa ao menos rezar (sem o auxílio de outra graça especial não comum a todos) e, rezando, possa obter auxílio maior para observar a lei, não sei como possam ser compreendidos tantos textos da Escritura, nos quais se exortam as almas a voltarem para Deus, a vencerem as tentações e a corresponderem aos convites divinos: "Voltai, prevaricadores, para dentro dos vossos corações" (Is 46,8). "Convertei-vos e vivei" (Ez 18,32). "Convertei-vos e fazei penitência" (Ez 12,30). "Desatai as correntes do vosso pescoço" (Is 52,2). "Vinde a mim todos vós, que andais em trabalhos e vos achais carregados" (Mt 11,28). "Resisti fortes na fé" (1Pd 5,9). "Caminhai enquanto tendes luz" (Jo 12,35).

Se não fosse verdade que a todos é concedida a graça de rezar e de obter pela oração maiores auxílios, para conseguir a salvação, então não compreendo como poderiam entender-se os referidos textos e como os pregadores com tanta força possam exortar a todos em geral a se converter, a resistir aos inimigos, a caminhar na virtude e, para conseguirem tudo isso, a rezar com confiança e perseverança, quando a graça de rezar não fosse concedida a cada um, mas somente àqueles que recebem a graça eficaz de rezar. E não sei também como possa ser justa a censura, que geralmente se faz a todos os pecadores, que resistem à graça e desprezam a voz divina: "Vós resistis ao Espírito Santo" (At 7,51). "Eu vos chamei e vós não quisestes ouvir-me, estendi a minha mão e não houve quem olhasse para mim; desprezastes todos os meus conselhos e não fizestes caso das minhas repreensões" (Pr 1,24). Se lhe faltasse até a graça remota, mais eficaz de rezar, a qual os adversários supõem ser necessária para rezar de fato, como disse, não compreendo como se lhes possa fazer tais censuras.

11. *A intenção da obra*

A intenção que tive em escrever esta obra não foi outra senão a de bendizer a Providência e Bondade de Deus e de socorrer os pecadores, a fim de não se entregarem ao desespero, julgando-se privados da graça, e também para afastar toda a desculpa, quando vierem dizer que não têm força para resistir aos assaltos da paixão e do inferno.

Mostrei que dentre o que se perdem, nenhum se perde por causa do pecado original de Adão, mas por própria culpa, pois que Deus a ninguém nega a graça da oração. Com ela, obtém-se de Deus o auxílio para vencer toda concupiscência e toda tentação.

De resto, o meu principal intento foi insinuar a todos o uso deste poderosíssimo e necessário meio da oração, para que se aplique cada um à oração com grande diligência e fervor, desejando seriamente alcançar a vida eterna.

São tantas as almas que perdem a graça divina e continuam a viver no pecado e, por fim, se condenam, porque não rezaram e não recorreram a Deus para obter auxílio! E o pior ainda é (não posso deixar de o repetir) que poucos pregadores e poucos confessores se esforçam por aconselhar a seus ouvintes ou penitentes o uso da oração, sem a qual é impossível observar os divinos preceitos e obter a perseverança na graça divina.

Considerando a absoluta necessidade de rezar, que em tantos textos nos impõe a Escritura Sagrada, tanto no Antigo como no Novo Testamento, fiz introduzir nas nossas Missões o uso, que já há muitos anos existe, de se fazer o sermão sobre a oração. Digo e repito e repetirei sempre, enquanto tiver a vida, que toda a nossa salvação está na oração! Por isso, todos os escritores em seus livros, todos os oradores sagrados em suas prédicas, todos os confessores na administração do sacramento da penitência, nada deveriam inculcar com maior energia do que a obrigação de rezar sempre. Deveriam admoestar e exclamar continuamente e dizer: "Rezai, rezai, e não deixeis de rezar! Porque, se não rezardes, será certa a vossa condenação. Assim deveriam fazer todos os pregadores e diretores, pois que na teologia católica nenhuma dúvida há desta verdade: Quem ora obtém as graças e se salva. Mas são pouquíssimos os que assim praticam e, por isso, tão poucos se salvam!

REGRAS DE VIDA CRISTÃ[1]

I. De manhã, ao se levantar, fazer os atos indicados posteriormente. Todos os dias fazer meia hora de oração mental e pelo menos um quarto de hora de leitura de algum livro espiritual. Participar da Missa. Fazer a visita ao Santíssimo Sacramento e à Mãe de Deus. Rezar o Rosário. À noite, fazer o exame de consciência, ato de arrependimento, os atos cristãos e rezar a Ladainha de Nossa Senhora.

II. Confessar-se e comungar pelo menos semanalmente e até mais vezes, se o Diretor espiritual o permitir.

III. Escolher um bom confessor, instruído e piedoso; seguir suas orientações tanto no tocante aos atos de devoção, como nas questões importantes; não abandoná-lo sem motivo grave.

---

[1] Este texto foi publicado por Santo Afonso em 1757, no final de seu "Breve Tratado sobre a necessidade da oração, sua eficácia e as condições com que deve ser feita".

Nós o apresentamos aqui como sugestão que, feitas as devidas adaptações, ainda continua válido para uma regra de vida cristã.

IV. Evitar a ociosidade, as más companhias, as conversas inconvenientes e, principalmente, as ocasiões de pecado, especialmente quando há perigo para a castidade.

V. Nas tentações, principalmente nas impuras, fazer logo o Sinal da Cruz e invocar os nomes de Jesus e Maria, enquanto durar a tentação.

VI. Se cometer algum pecado, arrepender-se logo e resolver emendar-se. Se o pecado for grave, confessar-se o quanto antes.

VII. Sempre que possível ouvir as pregações; pertencer a alguma irmandade ou grupo, ali procurando apenas a salvação eterna.

VIII. Para honrar a Maria Santíssima, jejuar nos sábados e na vigília de suas festas, fazendo ao mesmo tempo alguma outra mortificação corporal conforme o conselho do diretor espiritual. Fazer a novena para as festas de Maria, do Natal, de Pentecostes e do próprio padroeiro.

Nas situações desagradáveis, doenças, perdas, perseguições, conformar-se com a vontade de Deus e ficar em paz, dizendo: "Assim Deus quer, assim seja!".

Todos os anos fazer os Exercícios Espirituais em alguma casa religiosa ou algum lugar retirado. Ou, pelo menos, fazê-lo em casa mesmo, dedicando-se o mais possível à oração, às leituras espirituais e ao silêncio. Do mesmo modo fazer um dia de Retiro cada mês, evitando as conversas e recebendo a Eucaristia.

Atos cristãos para cada dia

De manhã, ao levantar-se, tendo feito o Sinal da Cruz, faça os seguintes atos de adoração, de amor, de agradecimento, de propósito e de súplica:

I. *Meu Deus, eu vos adoro e vos amo com todo o meu ser.*

II. *Agradeço todos os vossos benefícios, especialmente o de me terdes conservado nesta noite.*

III. *Eu vos ofereço as minhas ações, os meus sofrimentos deste dia, em união com as ações e os sofrimentos de Jesus e de Maria, com a intenção de ganhar todas as indulgências que puder.*

IV. *Proponho-me fugir de todos os pecados, especialmente de...* (é bom fazer um propósito particular quanto ao defeito em que mais se cai). *Nos contratempos quero conformar-me sempre à vossa vontade. Meu Jesus, guardai-me; Maria, protegei-me sob vosso manto. Pai eterno, ajudai-me por amor de Jesus e de Maria. Meu Anjo da Guarda, meus Santos Padroeiros, acompanhai-me.* Reze depois o Pai-Nosso, a Ave-Maria, o Credo, e três Ave-Marias em honra e pureza de Nossa Senhora.

Ao começar um trabalho, estudo ou qualquer outra ocupação, diga: *"Senhor, eu vos ofereço este meu esforço"*. Às refeições: *"Meu Deus, seja tudo para a vossa glória. Abençoai-me para que não caia em nenhuma falta"*. Depois das refeições: *"Agradeço, Senhor, o benefício que fizestes a quem vos ofendeu"*. Ao soar das horas: *"Jesus, eu vos amo. Não permitais que me separe de vós"*. Nos contratempos: *"Senhor, assim quisestes, assim também eu quero"*. Nas tentações repita frequentemente os nomes de Jesus e Maria. Tendo cometido alguma falta: *"Senhor, eu me arrependo porque ofendi a vós, bondade infinita. Não quero fazê-lo novamente"*. Se houve pecado grave, confessar-se logo.

À noite, antes de se deitar, agradeça a Deus as graças recebidas; faça o exame de consciência, o ato de arrependimento e os atos do cristão.

Modo prático de fazer oração mental

Como preparação, diga:

I. *Meu Deus, creio que estais aqui presente. Eu vos adoro com todo o meu ser.*

II. *Senhor, mereceria estar agora no inferno; arrependo-me de vos haver ofendido; perdoai-me.*

III. *Pai Eterno, por amor de Jesus e de Maria, iluminai-me.*

Depois, recomende-se a Maria Santíssima com uma Ave-Maria, recomende-se a São José, ao Anjo da Guarda, ao Santo Padroeiro.

Agora leia a Meditação; vá interrompendo a leitura sempre que encontrar uma passagem que tenha um significado maior para você. Faça atos de humildade, de agradecimento e, principalmente, de arrependimento e amor. Diga: *"Senhor, fazei de mim o que quiserdes, ajudai-me a conhecer o que quereis de mim; quero fazer o que vos agrada"*. Ore muito, pedindo a Deus a perseverança, o amor, a luz, a força para fazer sempre a vontade divina, a graça de orar sempre.

Antes de terminar a oração, faça um propósito particular, de evitar alguma falha mais frequente. Termine com um Pai-Nosso e uma Ave-Maria. Nunca deixe de recomendar a Deus as almas do Purgatório e os pecadores.

ÍNDICE

Apresentação 5
A Jesus e a Maria 9
Ao Verbo Encarnado 10
Introdução 11
I. Necessidade da oração 17
II. O valor da oração 43
III. As condições da oração 57
Conclusão 95
Regras de vida cristã 105